하루 10분 서술형/문장제 학습지

수학 독해

P1 20까지의 수

6세~8세

사고가 자라는 수학

수학독해 : 수학을 스스로 읽고 해결하다

객관식이나 간단한 단답형 문제는 자신 있는데 긴 문장이나 풀이 과정을 쓰라는 문제는 어려워하는 아이들이 있어요. 빠르고 정확하게 연산하고 교과 응용문제까지도 곧잘 풀어내지만, 문제 속 상황이 약간만 복잡해지면 문제를 풀려고도 하지 않는 아이들도 많아요. 이러한 아이들에게 부족한 것은 연산 능력이나 문제 해결력보다는 독해력과 표현력입니다. 특히 수학적 텍스트를 이해하고 표현하는 능력, 즉 수학 독해력이지요.

요즘 아이들의 독해력이 약해진 가장 큰 이유는 과거에 비해 이야기를 만나는 방식이 다양해졌기 때문이에요. 예전에는 대부분 말이나 글로써만 이야기를 접했어요. 텍스트 위주로 여러 가지 사건을 간접 체험하고, 머릿 속으로 상황을 그려내는 훈련이 자연스럽게 이루어졌지요. 반면 요즘 아이들은 글보다도 TV나 스마트폰 등 영상매체에 훨씬 빨리, 자주 노출되기에 글을 통해 상상을 할 필요가 점점 없어지게 되었습니다.

그렇다고 아이들에게 어렸을 때부터 영화나 애니메이션을 못 보게 하고 책만 읽게 하는 것은 바람직하지 않고, 가능하지도 않아요. 시각 매체는 그 자체로 많은 장점이 있기 때문에 지금의 아이들은 예전 세대에 비해 이미지에 대한 이해력과 적용력이 매우 뛰어나답니다. 문제는 아직까지 모든 학습과 평가 방식이 여전히 텍스트 위주이기 때문에 지금도 아이들에게 독해력이 중요하다는 점이에요. 그래서 저희는 영상 매체에는 익숙하지만 말이나 글에는 약한 아이들을 위한 새로운 수학 독해력 향상 프로그램인 씨투엠 수학독해를 기획하게 되었어요.

씨투엠 수학독해는 기존 문장제/서술형 교재들보다 더욱 쉽고 간단한 학습법을 보여주려 해요. 문제에 있는 문장과 표현 하나하나마다 따로 접근하여 아이들이 어려워하는 포인트를 찾고, 각 포인트마다 직관적인 활동을 통해 독해력과 표현력을 차근차근 끌어올리려고 합니다. 또한 문제 이해와 풀이 서술 과정을 단계별로 세세하게 나누어 문장제, 서술형 문제를 부담 없이 체계적으로 연습할 수 있어요. 새로운 문장제 학습법인 씨투엠 수학독해가 문장제 문제에 특히 어려움을 겪고 있거나 앞으로 서술형 문제를 좀 더 잘 대비하고 싶은 아이들에게 큰 도움이 될 것이라 자신합니다.

씨투엠 수학독해의 구성과 특징

- 매일 부담없이 2쪽씩, 하루 10분 문장제 학습
- 매주 5일간 단계별 활동, 6일차는 중요 문장제 확인학습
- 5회분의 진단평가로 테스트 및 복습

주차별 구성

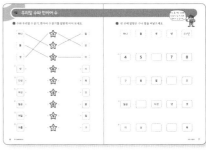

일일학습

꼬마 수학자들의
간단한 팁과 함께
매일 새롭게 만나는
단계별 문장제 활동

확인학습

중요 문장제 활동을
다시 한번 확인하며
주차 학습 마무리

1주차	1일	2일	3일	4일	5일	확인학습
	6쪽 ~ 7쪽	8쪽 ~ 9쪽	10쪽 ~ 11쪽	12쪽 ~ 13쪽	14쪽 ~ 15쪽	16쪽 ~ 18쪽

2주차	1일	2일	3일	4일	5일	확인학습
	20쪽 ~ 21쪽	22쪽 ~ 23쪽	24쪽 ~ 25쪽	26쪽 ~ 27쪽	28쪽 ~ 29쪽	30쪽 ~ 32쪽

3주차	1일	2일	3일	4일	5일	확인학습
	34쪽 ~ 35쪽	36쪽 ~ 37쪽	38쪽 ~ 39쪽	40쪽 ~ 41쪽	42쪽 ~ 43쪽	44쪽 ~ 46쪽

4주차	1일	2일	3일	4일	5일	확인학습
	48쪽 ~ 49쪽	50쪽 ~ 51쪽	52쪽 ~ 53쪽	54쪽 ~ 55쪽	56쪽 ~ 57쪽	58쪽 ~ 60쪽

진단평가 구성

진단평가

4주 간의 문장제 학습에서 부족한 부분을
확인하고 복습하기 위한 자가 진단 테스트

진단평가	1회	2회	3회	4회	5회
	62쪽 ~ 63쪽	64쪽 ~ 65쪽	66쪽 ~ 67쪽	68쪽 ~ 69쪽	70쪽 ~ 71쪽

이 책의 차례

1주차

수 읽기

✿ 수와 우리말 수 읽기, 한자어 수 읽기를 알맞게 이어 보세요.

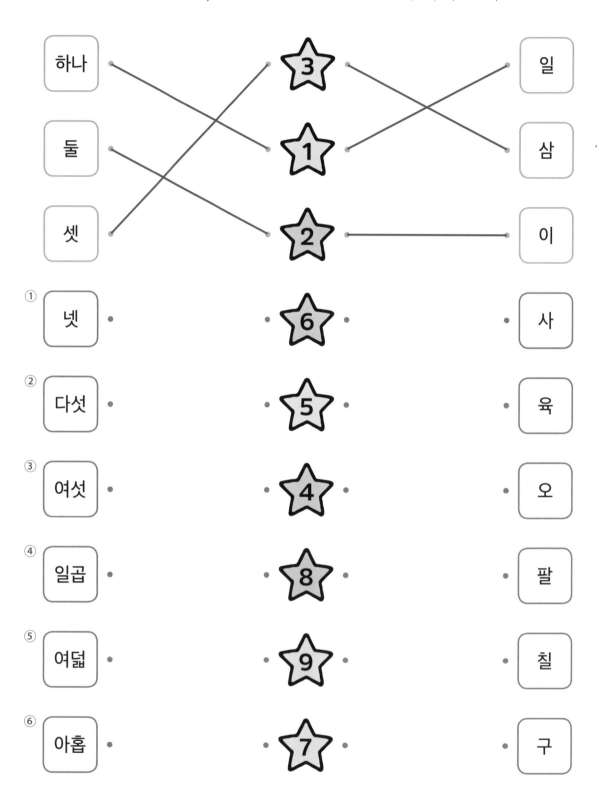

하나, 둘, 셋은 우리말 수 읽기, 일, 이, 삼은 한자어 수 읽기야.

❀ 빈 곳에 알맞은 수나 말을 써넣으세요.

| 하나 | 둘 | 셋 | 넷 | 다섯 |

①
| 4 | 5 | | 7 | 8 |

②
| 구 | 팔 | 칠 | | 오 |

③
| 일곱 | | 다섯 | 넷 | 셋 |

④
| 이 | 삼 | | | 육 |

🦋 개수를 세어 밑줄친 곳에 알맞은 말을 써넣으세요.

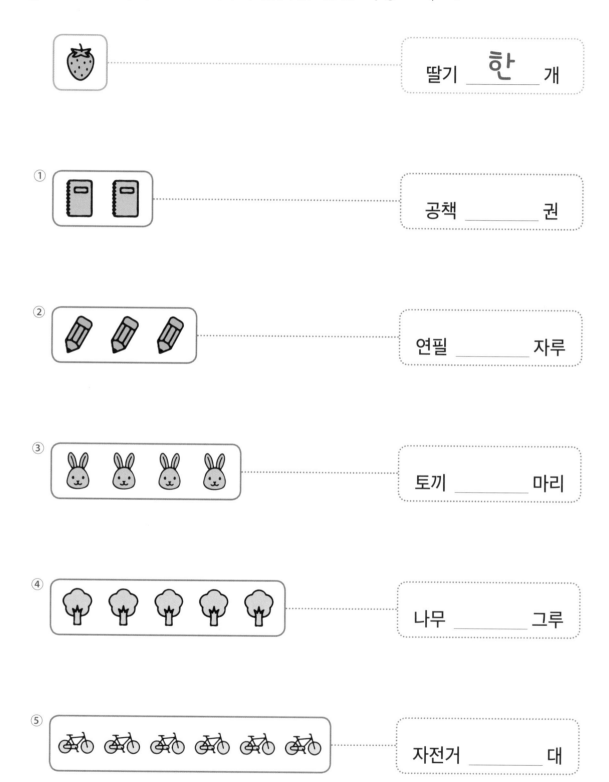

딸기 ___한___ 개

① 공책 _____ 권

② 연필 _____ 자루

③ 토끼 _____ 마리

④ 나무 _____ 그루

⑤ 자전거 _____ 대

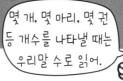

몇 개, 몇 마리, 몇 권 등 개수를 나타낼 때는 우리말 수로 읽어.

수가 있는 낱말에 밑줄치고, 수를 읽어 보세요.

필통에 볼펜이 <u>4자루</u> 있습니다.

네 자루

① 선생님께서 색종이를 5장 나누어 줍니다.

② 지아는 치마를 6벌 가지고 있습니다.

③ 엄마께 카네이션을 7송이 선물합니다.

④ 바다 위에 배가 8척 떠 있습니다.

⑤ 우리 동네에 집이 9채 있습니다.

🐝 수가 있는 낱말에 밑줄치고, 수를 읽어 보세요.

진호는 달리기에서 <u>2등</u>으로 들어왔습니다.

이등

① 초등학생인 언니는 3학년입니다.

② 엄마와 마트에 갈 때 5번 마을버스를 탑니다.

③ 인수네 집은 아파트 7층에 있습니다.

④ 내 생일이 있는 달은 8월입니다.

⑤ 작년보다 키가 9센티미터나 자랐습니다.

일등, 일 번과 같이 차례를 나타낼 때는 한자어 수로 읽어.

🐝 올바르게 읽은 칸에 색칠하세요.

접시 위에 사과가 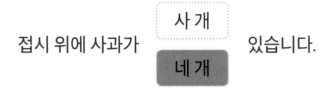 있습니다.

사 개

네 개

① 오월 오일 / 다섯 월 다섯 일 은 어린이날입니다.

② 공원에 나무를 칠 그루 / 일곱 그루 심었습니다.

③ 우리 집 강아지의 몸무게는 육 킬로그램 / 여섯 킬로그램 입니다.

④ 올림픽에서는 삼등 / 세등 까지 메달을 줍니다.

🍪 올바르게 읽은 것에 ○표 하세요.

현우는 책을 처음부터 (칠 쪽 , 일곱 쪽) 까지 읽었습니다.

① 지현이는 오늘 학습지를 모두 (오 쪽 , 다섯 쪽) 풀었습니다.

② 수아는 엄마와 (이 번 , 두 번) 마을버스를 탑니다.

③ 하루에 양치질을 (삼 번 , 세 번) 해야 합니다.

④ 만화책 (육 권 , 여섯 권) 부터 주인공의 모험이 시작됩니다.

⑤ 지민이는 도서관에서 책을 모두 (구 권 , 아홉 권) 빌립니다.

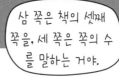

삼 쪽은 책의 셋째 쪽을, 세 쪽은 쪽의 수를 말하는 거야.

🎨 잘못 읽은 수에 ✕표 하고, 올바르게 고쳐 보세요.

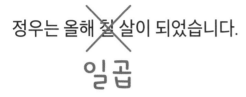

정우는 올해 ~~칠~~ 살이 되었습니다.

일곱

① 아이들은 만 일곱 세가 되면 초등학교에 들어갑니다.

② 감기약을 하루에 세 회 먹어야 합니다.

③ 멀리서 종소리가 오 번 울렸습니다.

④ 윤후는 육 달 동안 수영장에 다니려고 합니다.

⑤ 은주네 가족은 여섯 개월 동안 세계 일주 여행을 떠납니다.

✿ 올바르게 수를 읽은 것은 ○표, 틀리게 읽은 것은 ✕표 하세요.

달걀을 하루에 이 개씩 먹었습니다. ✕

이 개 ➡ 두 개

① 생일을 맞은 은혁이는 만으로 칠 세가 됩니다.

② 우리 나라 선수가 올림픽에서 네 등을 했습니다.

③ 큰 오빠는 초등학교 다섯 학년입니다.

④ 엄마 고양이가 새끼 여섯 마리를 낳았습니다.

여섯 살과 육 세는 같은 뜻인데 단위에 따라 다르게 읽은 거야.

⑤
지아는 어려운 사 번 문제를 쉽게 풉니다.

⑥
일 달만 더 있으면 유치원 방학입니다.

⑦
동화책을 삼 쪽부터 칠 쪽까지 읽었습니다.

⑧
작년보다 몸무게가 세 킬로그램 늘었습니다.

⑨
식목일에 나무를 아홉 그루 심었습니다.

✎ 수가 있는 낱말에 밑줄 치고, 수를 읽어 보세요.

① 연지는 연필 2자루를 깎았습니다.

② 마라톤에서 우리 나라 선수가 3등으로 들어왔습니다.

③ 식목일에 나무 6그루를 심었습니다.

✎ 올바르게 읽은 칸에 색칠하세요.

④

운동장을   삼 바퀴   뛰었습니다.
          세 바퀴

⑤

나는 친구보다   칠 센티미터   더 큽니다.
            일곱 센티미터

✎ 올바르게 읽은 것에 ○표 하세요.

⑥ 은지가 좋아하는 동화책 주인공은 (구 쪽 , 아홉 쪽) 부터 나옵니다.

⑦ 연서는 줄넘기를 (오 번 , 다섯 번) 넘었습니다.

⑧ 소은이가 좋아하는 만화책은 (팔 권 , 여덟 권) 이 가장 재밌습니다.

✎ 잘못 읽은 수에 ✕표 하고, 올바르게 고쳐 보세요.

⑨ 우리 동네 수영장은 만 다섯 세부터 들어갈 수 있습니다.

⑩ 삼일절에 사람들이 만세를 삼 번 외쳤습니다.

⑪ 새끼 강아지가 태어난 지 일 달이 지났습니다.

✎ 올바르게 수를 읽은 것은 ○표, 틀리게 읽은 것은 ✕표 하세요.

⑫ 삼등을 한 선수에게는 동메달을 줍니다. ⋯⋯⋯⋯⋯

⑬ 화단에 장미가 칠 송이 피었습니다. ⋯⋯⋯⋯⋯

⑭ 경주는 하루에 세수를 사 번 합니다. ⋯⋯⋯⋯⋯

⑮ 주원이는 연산 학습지를 모두 팔 쪽 풀었습니다. ⋯⋯⋯⋯⋯

⑯ 내년에는 초등학교 일 학년이 됩니다. ⋯⋯⋯⋯⋯

2주차

순서수

✿ 초콜릿을 번호 순서대로 놓으려고 합니다. 알맞게 이어 보세요.

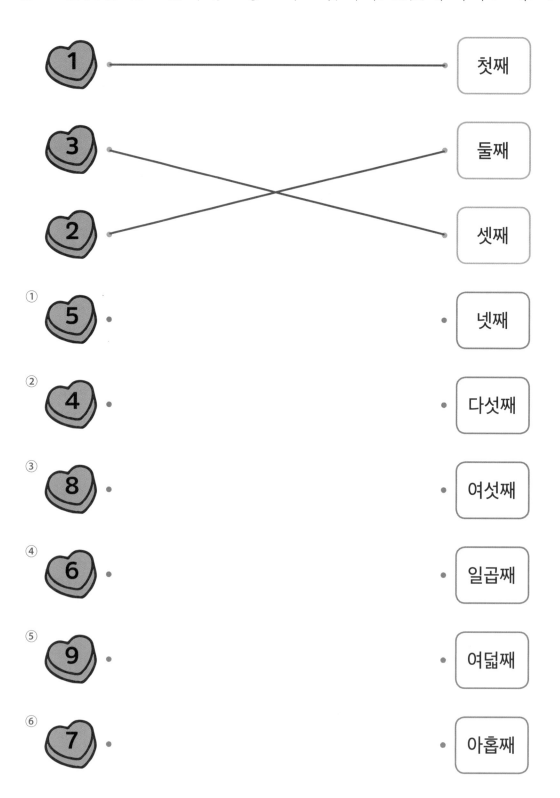

① 5

② 4

③ 8

④ 6

⑤ 9

⑥ 7

첫째

둘째

셋째

넷째

다섯째

여섯째

일곱째

여덟째

아홉째

첫째, 둘째와 같이 순서를 나타내는 말을 순서수라고 해.

✿ 빈 곳에 알맞은 순서수를 써넣으세요.

첫째 ---- 둘째 ---- 셋째 ---- 넷째 ---- **다섯째**

① 둘째 ---- [ ] ---- 넷째 ---- 다섯째 ---- 여섯째

② 셋째 ---- 넷째 ---- 다섯째 ---- [ ] ---- 일곱째

③ [ ] ---- 다섯째 ---- 여섯째 ---- 일곱째 ---- 여덟째

④ 다섯째 ---- 여섯째 ---- [ ] ---- 여덟째 ---- [ ]

🐸 왼쪽 또는 오른쪽 방향으로 순서에 맞는 것을 찾아 ○표 하세요.

오른쪽에서 넷째 주사위

① 왼쪽에서 셋째 야구공

② 오른쪽에서 둘째 바나나

③ 왼쪽에서 여섯째 버섯

④ 오른쪽에서 아홉째 연필

어느 방향에서 세느냐에 따라 순서가 달라져.

위아래로 이어진 별과 순서수를 알맞게 이어 보세요.

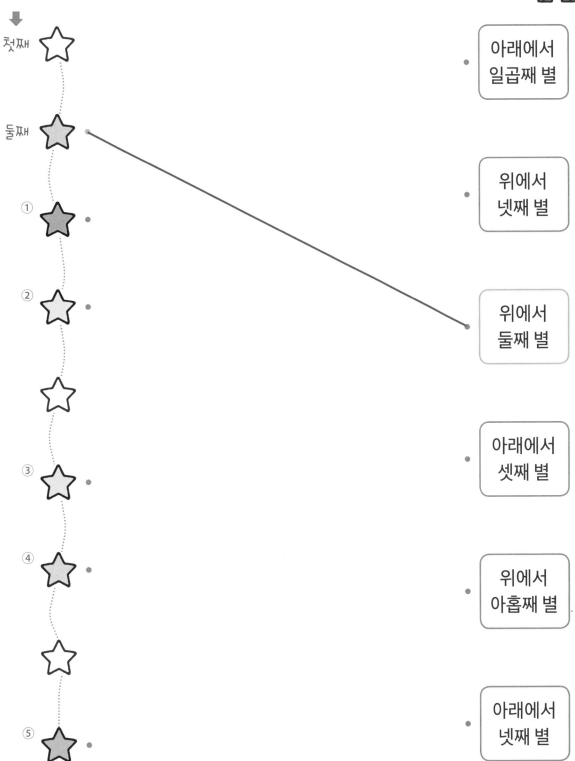

첫째

둘째

① ② ③ ④ ⑤

아래에서 일곱째 별

위에서 넷째 별

위에서 둘째 별

아래에서 셋째 별

위에서 아홉째 별

아래에서 넷째 별

🐝 그림을 보고 물음에 답하세요.

| 장갑 | 주사위 | 야구공 | 가방 | 연필 | 축구공 | 공책 | 지우개 | 우산 |

➡ 첫째 둘째 셋째 넷째

가방은 왼쪽에서 몇째입니까?   넷째

① 주사위는 오른쪽에서 몇째입니까?

② 축구공은 왼쪽에서 몇째입니까?

③ 오른쪽에서 셋째는 무엇입니까?

④ 왼쪽에서 첫째는 무엇입니까?

⑤ 오른쪽에서 다섯째는 무엇입니까?

달걀은 위에서 세나 아래에서 세나 순서가 같아.

🐝 그림을 보고 물음에 답하세요.

첫째	딸기
둘째	우유
셋째	수박
넷째	버섯
다섯째	달걀
여섯째	바나나
	복숭아
	당근
	사과

위에서 여섯째는 무엇입니까?

바나나

① 아래에서 일곱째는 무엇입니까?

_____

② 위에서 일곱째는 무엇입니까?

_____

③ 달걀은 아래에서 몇째입니까?

_____

④ 버섯은 위에서 몇째입니까?

_____

⑤ 당근은 아래에서 몇째입니까?

_____

🦋 밑줄친 곳에 알맞은 말이나 수를 써넣으세요.

노란색 닭은 앞에서 __셋째__ , 뒤에서 __넷째__ 입니다.

노란색 닭 앞에 닭이 __2__ 마리, 뒤에 닭이 __3__ 마리입니다.

①

노란색 닭은 앞에서 _____ , 뒤에서 _____ 입니다.

노란색 닭 앞에 닭이 _____ 마리, 뒤에 닭이 _____ 마리입니다.

②

노란색 닭은 앞에서 _____ , 뒤에서 _____ 입니다.

노란색 닭 앞에 닭이 _____ 마리, 뒤에 닭이 _____ 마리입니다.

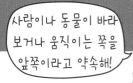
사람이나 동물이 바라
보거나 움직이는 쪽을
앞쪽이라고 약속해!

 단서를 보고 범인이 탄 차를 찾아 색칠해 보세요.

범인이 탄 차 앞에는 차가 3대 있습니다.

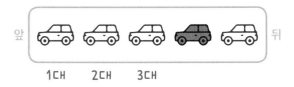

앞 ☐ ☐ ☐ ☐ ☐ 뒤

1대　2대　3대

① 범인이 탄 차 앞에는 차가 1대 있습니다.

② 범인이 탄 차 뒤에는 차가 없습니다.

③ 범인이 탄 차 뒤에는 차가 4대 있습니다.

🐝 주인공의 위치를 찾아 색칠하고, 물음에 답하세요.

5명이 줄을 서 있습니다. 은아는 뒤에서 둘째입니다.

은아 앞에는 아이가 몇 명입니까?   _3_ 명

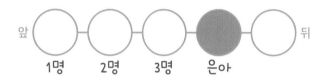

앞 ○ ─ ○ ─ ○ ─ ● ─ ○ 뒤
   1명 2명 3명 은아

① 4명이 줄을 서 있습니다. 지연이는 뒤에서 셋째입니다.

지연이 앞에는 아이가 몇 명입니까?   _____ 명

앞 ○ ─ ○ ─ ○ ─ ○ 뒤

② 9명이 줄을 서 있습니다. 준혁이는 앞에서 첫째입니다.

준혁이 뒤에는 아이가 몇 명입니까?   _____ 명

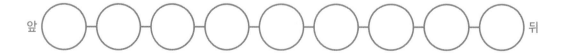

앞 ○ ─ ○ ─ ○ ─ ○ ─ ○ ─ ○ ─ ○ ─ ○ ─ ○ 뒤

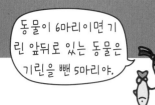

동물이 6마리이면 기린 앞뒤로 있는 동물은 기린을 뺀 5마리야.

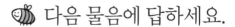 다음 물음에 답하세요.

동물 6마리가 줄을 서 있습니다. 기린 뒤에는 동물이 2마리입니다.

기린은 앞에서 몇째입니까?

<u>넷째</u>

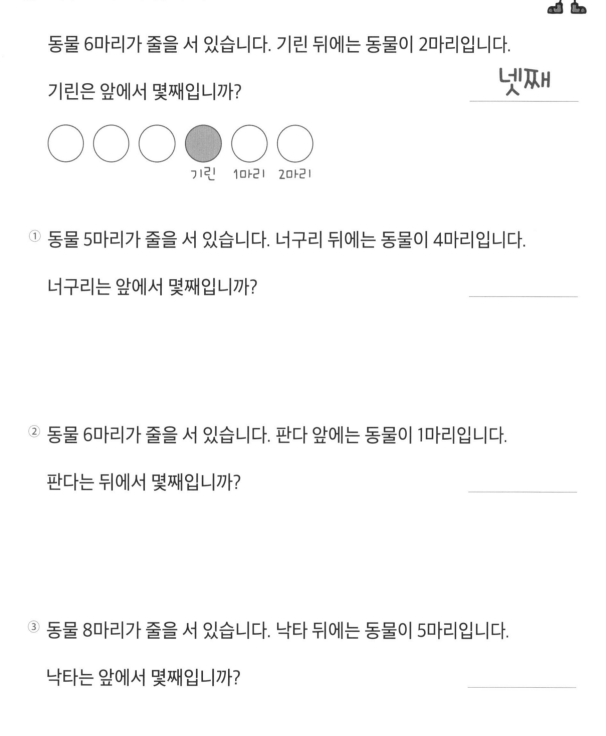

기린 1마리 2마리

① 동물 5마리가 줄을 서 있습니다. 너구리 뒤에는 동물이 4마리입니다.

너구리는 앞에서 몇째입니까?

② 동물 6마리가 줄을 서 있습니다. 판다 앞에는 동물이 1마리입니다.

판다는 뒤에서 몇째입니까?

③ 동물 8마리가 줄을 서 있습니다. 낙타 뒤에는 동물이 5마리입니다.

낙타는 앞에서 몇째입니까?

✎ 그림을 보고 물음에 답하세요.

당근	① 아래에서 넷째는 무엇입니까?
수박	② 위에서 둘째는 무엇입니까?
사과	
버섯	③ 아래에서 여섯째는 무엇입니까?
복숭아	
달걀	④ 사과는 아래에서 몇째입니까?
바나나	
딸기	⑤ 딸기는 위에서 몇째입니까?
우유	

⑥ 우유는 아래에서 몇째입니까?

✎ 밑줄친 곳에 알맞은 말이나 수를 써넣으세요.

⑦

주황색 닭은 앞에서 _____ , 뒤에서 _____ 입니다.

주황색 닭 앞에 닭이 _____ 마리, 뒤에 닭이 _____ 마리입니다.

⑧

주황색 닭은 앞에서 _____ , 뒤에서 _____ 입니다.

주황색 닭 앞에 닭이 _____ 마리, 뒤에 닭이 _____ 마리입니다.

✎ 단서를 보고 범인이 탄 차를 찾아 색칠해 보세요.

⑨ 범인이 탄 차 뒤에는 차가 4대 있습니다.

⑩ 범인이 탄 차 앞에는 차가 6대 있습니다.

✎ 다음 물음에 답하세요.

⑪ 7명이 줄을 서 있습니다. 지우는 앞에서 셋째입니다.

　　지우 뒤에는 아이가 몇 명입니까? ＿＿＿＿＿ 명

⑫ 3명이 줄을 서 있습니다. 호준이는 뒤에서 셋째입니다.

　　호준이 뒤에는 아이가 몇 명입니까? ＿＿＿＿＿ 명

⑬ 9명이 줄을 서 있습니다. 진아 앞에는 아이가 6명입니다.

　　진아는 뒤에서 몇째입니까? ＿＿＿＿＿

⑭ 4명이 줄을 서 있습니다. 연아 뒤에는 아이가 2명 있습니다.

　　연아는 앞에서 몇째입니까? ＿＿＿＿＿

🌸 개수에 맞게 ○ 또는 ●표 하고 빈 곳에 알맞은 수를 써넣으세요.

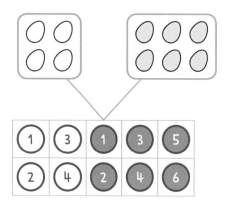

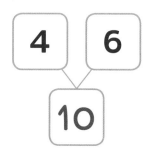

①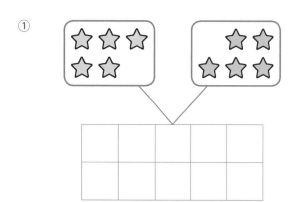

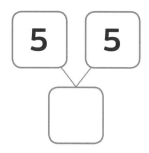

②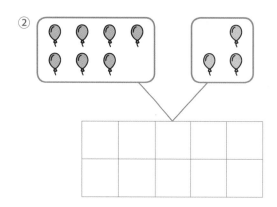

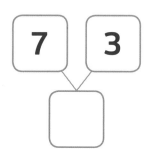

양쪽에 있는 것을 모두 모으면 항상 같은 수가 되지.

❀ 빈 곳과 밑줄친 곳에 알맞은 수를 써넣으세요.

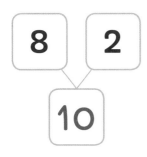

8과 2를 모으면 __10__ 이 됩니다.

①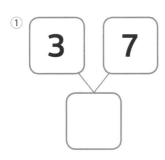

3과 7을 모으면 _____ 이 됩니다.

②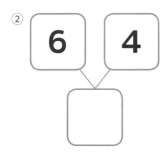

6과 4를 모으면 _____ 이 됩니다.

③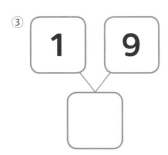

1과 9를 모으면 _____ 이 됩니다.

🐞 가르기에 맞게 ○ 또는 ●표를 그려 넣으세요.

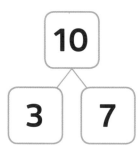

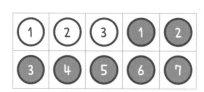

①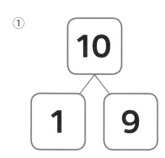

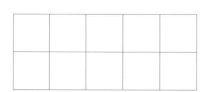

②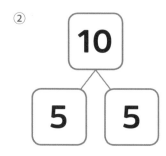

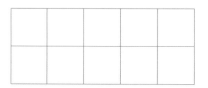

③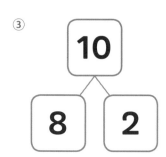

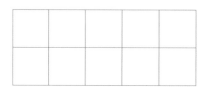

🦋 그림을 보고 빈 곳에 알맞은 수를 써넣으세요.

닭 10마리를 가르면 __6__ 마리와 __4__ 마리가 됩니다.

①

튤립 10송이를 가르면 _____ 송이와 _____ 송이가 됩니다.

②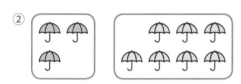

우산 10개를 가르면 _____ 개와 _____ 개가 됩니다.

③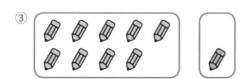

연필 10자루를 가르면 _____ 자루와 _____ 자루가 됩니다.

모으면 몇, 가르면 몇

🐝 문제에 맞게 ○ 또는 ●표를 그리고 물음에 답하세요.

빨간색 구슬이 1개, 파란색 구슬이 9개 있습니다.

구슬을 모으면 모두 몇 개입니까?　　　　　　　__10__ 개

○ : 빨간색 구슬

● : 파란색 구슬

① 연필이 3자루, 볼펜이 7자루 있습니다.

　연필과 볼펜을 모으면 모두 몇 자루입니까?　　　_____ 자루

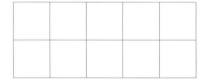

② 현우는 책을 6권, 아미는 책을 4권 읽었습니다.

　두 사람이 읽은 책을 모으면 모두 몇 권입니까?　　　_____ 권

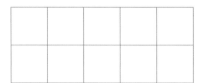

강낭콩의 수만큼 ○표 한 다음, 나머지 칸의 수를 세어 봐.

🐝 문제에 맞게 ○ 또는 ●표를 그리고 물음에 답하세요.

강낭콩과 완두콩이 모두 10개 있습니다.

강낭콩이 5개일 때, 완두콩은 몇 개입니까?

<u>**5**</u> 개

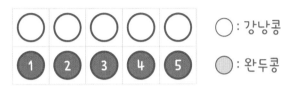

○ : 강낭콩

● : 완두콩

① 지우와 현아가 종이 10장을 나누었습니다.

지우에게 2장이 있을 때, 현아가 가진 종이는 몇 장입니까? _____ 장

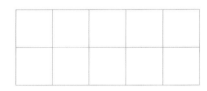

② 동생과 내가 가진 동전은 모두 10개입니다.

동생에게 7개가 있을 때, 내가 가진 동전은 몇 개입니까? _____ 개

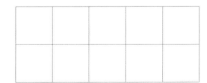

🐾 10이 되도록 ○표 하고 밑줄친 곳에 알맞은 수를 써넣으세요.

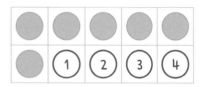

6과 ___**4**___ 를 모으면 10이 됩니다.

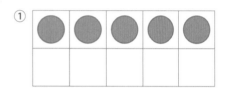

5와 _____ 를 모으면 10이 됩니다.

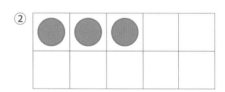

3과 _____ 을 모으면 10이 됩니다.

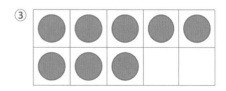

8과 _____ 를 모으면 10이 됩니다.

10칸 중 3칸을 채우면 남는 칸은 몇 칸일까?

🐞 그림을 보고 밑줄친 곳에 알맞은 수를 써넣으세요.

쿠키를 3개 구웠습니다. 쿠키를 __7__ 개 더 구우면 10개입니다.

①
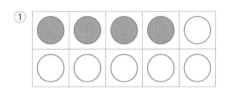

우표를 4장 모았습니다. 우표를 _____ 장 더 모으면 10장입니다.

②
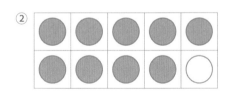

포도를 9송이 땄습니다. 포도를 _____ 송이 더 따면 10송이입니다.

③
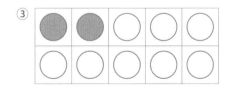

친구를 2명 만들었습니다. 친구를 _____ 명 더 만들면 10명입니다.

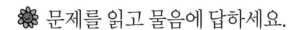

몇 더 있어야 합니까

❀ 문제를 읽고 물음에 답하세요.

동전을 7개 모았습니다.

동전을 10개 모으려면 몇 개 더 모아야 합니까?   __3__ 개

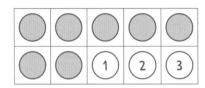

◯ : 모은 동전

◯ : 더 모아야 하는 동전

① 종이학을 5마리 접었습니다.

종이학을 10마리 접으려면 몇 마리 더 접어야 합니까?   _____ 마리

② 주스를 2잔 따랐습니다.

주스를 10잔 따르려면 몇 잔 더 따라야 합니까?   _____ 잔

③ 수학 문제를 4개 풀었습니다.

수학 문제를 10개 풀려면 몇 개 더 풀어야 합니까? _____ 개

④ 영화를 3편 보았습니다.

영화를 10편 보려면 몇 편 더 보아야 합니까? _____ 편

⑤ 빈 병을 9병 모았습니다.

빈 병을 10병 모으려면 몇 병 더 모아야 합니까? _____ 병

✎ 문제에 맞게 ○ 또는 ●표를 그리고 물음에 답하세요.

① 강아지가 4마리, 고양이가 6마리 있습니다.

강아지와 고양이를 모으면 모두 몇 마리입니까?　　　　＿＿＿＿＿＿ 마리

② 빨간색 우산과 파란색 우산이 모두 10개 있습니다.

빨간색 우산이 9개일 때, 파란색 우산은 몇 개입니까?　　　　＿＿＿＿＿＿ 개

③ 초콜릿 10개를 나와 언니가 나누었습니다.

내가 3개를 가질 때, 언니가 가진 초콜릿은 몇 개입니까?　　　　＿＿＿＿＿＿ 개

✎ 그림을 보고 밑줄친 곳에 알맞은 수를 써넣으세요.

④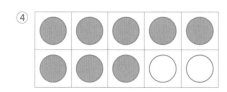

공책을 8권 샀습니다. 공책을 _____ 권 더 사면 10권입니다.

⑤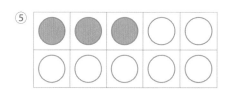

로봇을 3대 만들었습니다. 로봇을 _____ 대 더 만들면 10대입니다.

⑥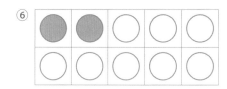

바둑돌을 2개 놓았습니다. 바둑돌을 _____ 개 더 놓으면 10개입니다.

⑦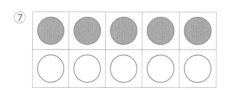

감자를 5개 캤습니다. 감자를 _____ 개 더 캐면 10개입니다.

✎ 문제를 읽고 물음에 답하세요.

⑧ 풍선을 2개 불었습니다.

풍선을 10개 불려면 몇 개 더 불어야 합니까?   _____ 개

⑨ 사과를 6개 땄습니다.

사과를 10개 따려면 몇 개 더 따야 합니까?   _____ 개

⑩ 동화책을 5권 읽었습니다.

동화책을 10권 읽으려면 몇 권 더 읽어야 합니까?   _____ 권

4주차

수의 순서

10에서 20까지

❀ 빈 곳에 알맞은 수를 써넣으세요.

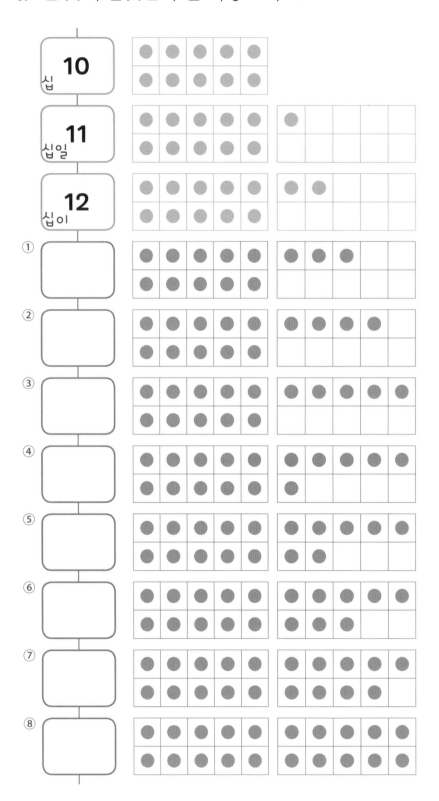

수를 나란히 써넣은 그림을 수직선이라고 해.

🌸 수의 순서에 맞게 빈 곳에 알맞은 수를 써넣으세요.

10	11	12	13
십	십일	십이	십삼

①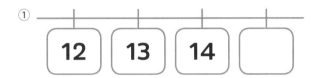

| 12 | 13 | 14 | |

②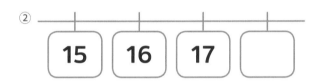

| 15 | 16 | 17 | |

③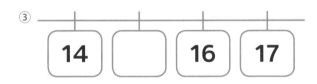

| 14 | | 16 | 17 |

④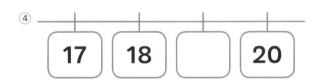

| 17 | 18 | | 20 |

⑤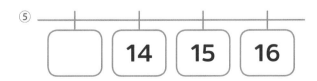

| | 14 | 15 | 16 |

앞 수와 뒤 수

🐞 주어진 수의 바로 앞 수와 뒤 수를 각각 써넣으세요.

11의 앞 수는 __10__ 입니다.

11의 뒤 수는 __12__ 입니다.

①

```
      12
```

12의 앞 수는 _____ 입니다.

12의 뒤 수는 _____ 입니다.

②

```
      16
```

16의 앞 수는 _____ 입니다.

16의 뒤 수는 _____ 입니다.

③

```
      19
```

19의 앞 수는 _____ 입니다.

19의 뒤 수는 _____ 입니다.

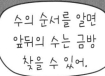

수의 순서를 알면 앞뒤의 수는 금방 찾을 수 있어.

 문제를 읽고 물음에 답하세요.

아이들이 번호 순서대로 서 있는데 진주는 17번입니다.

진주 바로 앞에 있는 아이는 몇 번입니까?　　　　　__16__ 번

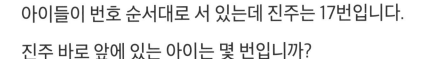

① 아이들이 번호 순서대로 서 있는데 민후는 11번입니다.

민후 바로 뒤에 있는 아이는 몇 번입니까?　　　　　_____ 번

② 깃발이 번호 순서대로 서 있는데 노란색 깃발은 13번입니다.

노란색 깃발 바로 뒤에 있는 깃발은 몇 번입니까?　　　_____ 번

③ 기차가 번호 순서대로 이어져 있는데 식당차는 10호차입니다.

식당차 바로 앞 칸은 몇 호차입니까?　　　　　_____ 호차

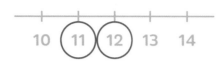 사이에 있는 수를 모두 찾아 ○표 하고 밑줄친 곳에 써넣으세요.

10 (11) (12) 13 14

10과 13 사이의 수는 __11__ , __12__ 입니다.

① 16 17 18 19 20

16과 18 사이의 수는 _____ 입니다.

② 11 12 13 14 15

12와 15 사이의 수는 _____ , _____ 입니다.

③ 14 15 16 17 18

14와 18 사이의 수는 _____ , _____ , _____ 입니다.

작은 수부터 큰 수까지 수직선을 그리고 사이의 수를 찾아봐.

🐝 문제를 읽고 물음에 답하세요.

아이들이 번호 순서대로 서 있습니다.

16번과 19번 사이에는 몇 명이 서 있습니까?　　　　　**2**　명

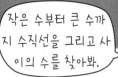

1명　2명

16　⑰　⑱　19

① 달리기 경주를 했습니다.

9등과 13등 사이에는 몇 명이 들어왔습니까?　　　　　　명

② 기차가 번호 순서대로 이어져 있습니다.

11호차와 13호차 사이에는 차가 몇 칸 있습니까?　　　　　　칸

③ 교실이 반 번호 순서대로 나란히 있습니다.

10반과 15반 사이에는 반이 몇 개 있습니까?　　　　　　개

가장 큰 수, 작은 수

🪲 가장 큰 수에 ○표, 가장 작은 수에 △표 하세요.

| 14 | 15 | 18 |

① 19   17   15

② 19   20   18

③ 14   15   16   18

④ 16   10   13   15

⑤ 15   16   20   17

여러 수 중 다른 모든 수보다 더 큰 수를 가장 큰 수라고 해.

 문제를 읽고 물음에 답하세요.

언니는 13살, 오빠는 11살, 나는 9살입니다.
셋 중 가장 나이가 많은 사람은 누구입니까?

__언니__

① 동전을 윤지는 15개, 기안이는 12개, 종민이는 14개 모았습니다.
동전을 가장 적게 모은 사람은 누구입니까?

_____

② 포도를 아침에 10알, 점심에 15알, 저녁에 13알 먹었습니다.
포도를 가장 많이 먹은 것은 언제입니까?

_____

③ 책을 첫째 날 14쪽, 둘째 날 9쪽, 셋째 날 18쪽, 넷째 날 19쪽 읽었습니다.
책을 가장 적게 읽은 것은 몇째 날입니까?

_____

둘째로 큰 수, 작은 수

❀ 가장 작은 수부터 크기 순서대로 수를 써넣으세요.

| 12 | 15 | 13 |

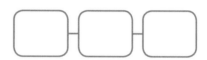

① | 17 | 16 | 14 |

② | 10 | 12 | 11 |

③ | 19 | 20 | 12 | 15 |

④ | 10 | 16 | 9 | 17 |

⑤ | 14 | 11 | 18 | 13 |

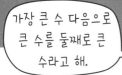

가장 큰 수 다음으로 큰 수를 둘째로 큰 수라고 해.

✿ 문제를 읽고 물음에 답하세요.

봉사 활동을 누나는 10일, 나는 13일, 동생은 12일 갔습니다.

봉사 활동을 둘째로 적게 간 사람은 누구입니까?   __동생__

누나   동생   나
10일   12일   13일

① 색종이가 빨간색은 20장, 노란색은 15장, 보라색은 16장 있습니다.

둘째로 적은 색종이는 무슨 색입니까?   _____

② 사과를 지우는 17개, 현서는 14개, 은혁이는 19개 땄습니다.

사과를 둘째로 많이 딴 사람은 누구입니까?   _____

③ 켄지는 14살, 노라는 15살, 미루는 13살, 아이린은 11살입니다.

나이가 둘째로 많은 사람은 누구입니까?   _____

🖊️ 주어진 수의 바로 앞 수와 뒤 수를 각각 써넣으세요.

①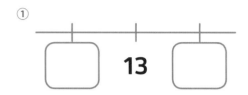

13의 앞 수는 _____ 입니다.

13의 뒤 수는 _____ 입니다.

②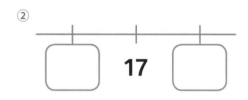

17의 앞 수는 _____ 입니다.

17의 뒤 수는 _____ 입니다.

🖊️ 문제를 읽고 물음에 답하세요.

③ 아이들이 번호 순서대로 서 있는데 케이는 14번입니다.

케이의 바로 앞에 서 있는 아이는 몇 번입니까? _____ 번

④ 희재는 매일 1쪽씩 책을 읽는데 어제는 17쪽을 읽었습니다.

희재는 오늘 몇 쪽을 읽어야 합니까? _____ 쪽

✎ 사이에 있는 수를 모두 찾아 ○표 하고 밑줄친 곳에 써넣으세요.

⑤
9 10 11 12 13

9와 13 사이의 수는 _____ , _____ , _____ 입니다.

⑥
15 16 17 18 19

15와 18 사이의 수는 _____ , _____ 입니다.

✎ 문제를 읽고 물음에 답하세요.

⑦ 동화책이 있습니다.

12쪽과 16쪽 사이에는 몇 쪽이 있습니까?　　　_____ 쪽

⑧ 8일은 어버이날이고 13일은 석가탄신일입니다.

어버이날과 석가탄신일 사이에 며칠이 있습니까?　　　_____ 일

🖊 문제를 읽고 물음에 답하세요.

⑨ 버스에 13명, 비행기에 15명, 기차에 18명 탔습니다.

　 사람이 가장 많이 탄 것은 무엇입니까?　　　　　　 _____

⑩ 고양이는 11살, 강아지는 9살, 거북이는 14살입니다.

　 나이가 가장 적은 동물은 무엇입니까?　　　　　　 _____

⑪ 밤을 형은 16개, 나는 12개, 동생은 13개 먹었습니다.

　 밤을 둘째로 적게 먹은 사람은 누구입니까?　　　　 _____

⑫ 우산이 빨간색 17개, 파란색 10개, 노란색 14개, 초록색 11개 있습니다.

　 둘째로 많은 우산은 무슨 색입니까?　　　　　　　 _____

진단평가

진단평가에는 앞에서 학습한 4주차의 문장제 활동이 순서대로 나옵니다. 잘못 푼 문제가 있으면 몇 주차인지 확인하여 반드시 한 번 더 복습해 봅니다.

1주차	3주차
2주차	4주차

✎ 수가 있는 낱말에 밑줄치고, 수를 읽어 보세요.

① 내 신발장 번호는 7번입니다.

② 주차장에 자동차 5대가 있습니다.

③ 올해 설날은 2월에 있습니다.

✎ 다음 물음에 답하세요.

④ 5명이 줄을 서 있습니다. 동훈이 앞에는 아이가 4명입니다.

동훈이는 뒤에서 몇째입니까? _____

⑤ 8명이 줄을 서 있습니다. 기준이 뒤에는 아이가 2명 있습니다.

기준이는 앞에서 몇째입니까? _____

✎ 그림을 보고 밑줄친 곳에 알맞은 수를 써넣으세요.

⑥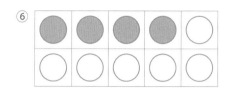

학습지를 4쪽 풀었습니다. 학습지를 _____ 쪽 더 풀면 10쪽입니다.

⑦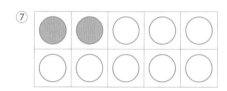

돼지를 2마리 기릅니다. 돼지를 _____ 마리 더 기르면 10마리입니다.

✎ 사이에 있는 수를 모두 찾아 ○표 하고 밑줄친 곳에 써넣으세요.

⑧

14와 16 사이의 수는 _____ 입니다.

⑨

17과 20 사이의 수는 _____ , _____ 입니다.

✎ 올바르게 읽은 것에 ○표 하세요.

① 연우는 동생보다 책을 (사 쪽 , 네 쪽) 더 많이 읽었습니다.

② 마라톤에 참가한 우진이는 (칠 번 , 일곱 번) 번호표를 받았습니다.

③ 지예는 동화책을 모두 (사 권 , 네 권) 가지고 있습니다.

✎ 그림을 보고 물음에 답하세요.

축구공　공책　지우개　우산　주사위　장갑　연필　야구공　가방

④ 장갑은 왼쪽에서 몇째입니까?　_____

⑤ 오른쪽에서 일곱째는 무엇입니까?　_____

⑥ 주사위는 오른쪽에서 몇째입니까?　_____

✎ 문제를 읽고 물음에 답하세요.

⑦ 달걀을 5개 팔았습니다.

   달걀을 10개 팔려면 몇 개 더 팔아야 합니까?   _____ 개

⑧ 봉사 활동을 1번 갔습니다.

   봉사 활동을 10번 가려면 몇 번 더 가야 합니까?   _____ 번

✎ 문제를 읽고 물음에 답하세요.

⑨ 마라톤 경주를 했습니다.

   10등과 15등 사이에는 몇 명이 들어왔습니까?   _____ 명

⑩ 수학 문제를 풉니다.

   17번과 20번 사이에는 문제가 몇 개 있습니까?   _____ 개

✎ 올바르게 수를 읽은 것은 ○표, 틀리게 읽은 것은 ✕표 하세요.

① 여섯 번 선수가 선두를 달리고 있습니다. ┈┈┈ ☐

② 피아노 학원은 세 층에 있습니다. ┈┈┈ ☐

✎ 밑줄친 곳에 알맞은 말이나 수를 써넣으세요.

③

노란색 닭은 앞에서 _____ , 뒤에서 _____ 입니다.

노란색 닭 앞에 닭이 _____ 마리, 뒤에 닭이 _____ 마리입니다.

④

노란색 닭은 앞에서 _____ , 뒤에서 _____ 입니다.

노란색 닭 앞에 닭이 _____ 마리, 뒤에 닭이 _____ 마리입니다.

✎ 문제에 맞게 ○ 또는 ●표를 그리고 물음에 답하세요.

⑤ 의자가 5개, 책상이 5개 있습니다.

    의자와 책상을 모으면 모두 몇 개입니까?   _____ 개

⑥ 구슬이 왼손에 9개, 오른손에 1개 있습니다.

    구슬을 모으면 모두 몇 개입니까?   _____ 개

✎ 문제를 읽고 물음에 답하세요.

⑦ 농장에 소 17마리, 말 13마리, 돼지 20마리가 있습니다.

    농장에 가장 많은 동물은 무엇입니까?   _____

⑧ 달걀을 첫째 날 12개, 둘째 날 11개, 셋째 날 14개, 넷째 날 10개 모았습니다.

    달걀을 둘째로 적게 모은 날은 몇째 날입니까?   _____

✎ 잘못 읽은 수에 ✕표 하고, 올바르게 고쳐 보세요.

① 언니는 나보다 이 살 더 많습니다.

② 어린이 연극을 하루에 다섯 회 공연합니다.

③ 현진이는 세 개월마다 아빠와 캠핑을 갑니다.

✎ 단서를 보고 범인이 탄 차를 찾아 색칠해 보세요.

④ 범인이 탄 차 뒤에는 차가 4대 있습니다.

⑤ 범인이 탄 차 앞에는 차가 2대 있습니다.

✎ 문제에 맞게 ○ 또는 ●표를 그리고 물음에 답하세요.

⑥ 바둑돌이 모두 10개 있습니다.

　　흰색 바둑돌이 3개일 때, 검은색 바둑돌은 몇 개입니까?　　　_____ 개

⑦ 십 원짜리 동전과 백 원짜리 동전이 모두 10개 있습니다.

　　십 원짜리 동전이 8개일 때, 백 원짜리 동전은 몇 개입니까?　　_____ 개

✎ 주어진 수의 바로 앞 수와 뒤 수를 각각 써넣으세요.

⑧

15

15의 앞 수는 _____ 입니다.

15의 뒤 수는 _____ 입니다.

⑨

18

18의 앞 수는 _____ 입니다.

18의 뒤 수는 _____ 입니다.

✎ 올바르게 수를 읽은 것은 ○표, 틀리게 읽은 것은 ✕표 하세요.

① 하늘에 비행기 두 대가 떠 있습니다.

② 형우는 동화책을 아홉 쪽부터 읽습니다.

③ 엄지손가락의 길이는 사 센티미터입니다.

✎ 다음 물음에 답하세요.

④ 동물 9마리가 줄을 서 있습니다. 코뿔소는 앞에서 여덟째입니다.

코뿔소 뒤에는 동물이 몇 마리입니까? _____ 마리

⑤ 동물 6마리가 줄을 서 있습니다. 여우는 뒤에서 셋째입니다.

여우 앞에는 동물이 몇 마리입니까? _____ 마리

✎ 10개가 되도록 ○표 하고 밑줄친 곳에 알맞은 수를 써넣으세요.

⑥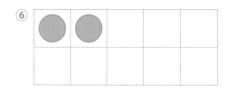

2와 _____ 을 모으면 10이 됩니다.

⑦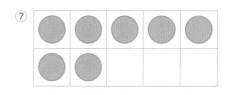

7과 _____ 을 모으면 10이 됩니다.

✎ 문제를 읽고 물음에 답하세요.

⑧ 깃발이 번호 순서대로 서 있는데 초록색 깃발은 19번입니다.

초록색 깃발 바로 뒤에 있는 깃발은 몇 번입니까?   _____ 번

⑨ 민지의 오빠는 올해 13살입니다.

민지의 오빠는 작년에 몇 살이었습니까?   _____ 살

하루 10분 서술형/문장제 학습지

씨투엠

수학 독해

정답

P1 20까지의 수

6세~8세

정답

P1 20까지의 수
6세~8세

수 읽기

P 06 ~ 07

1일 우리말 수와 한자어 수

하나, 둘, 셋은 우리말 수 읽기, 일, 이, 삼은 한자어 수 읽기예요.

❀ 수와 우리말 수 읽기, 한자어 수 읽기를 알맞게 이어 보세요.

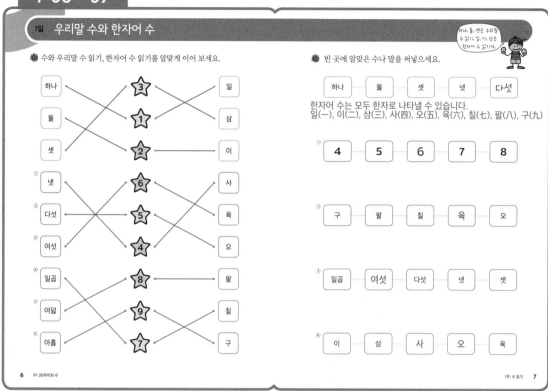

❀ 빈 곳에 알맞은 수나 말을 써넣으세요.

하나	둘	셋	넷	다섯

한자어 수는 모두 한자로 나타낼 수 있습니다.
일(一), 이(二), 삼(三), 사(四), 오(五), 육(六), 칠(七), 팔(八), 구(九)

①
4	5	6	7	8

②
구	팔	칠	육	오

③
일곱	여섯	다섯	넷	셋

④
이	삼	사	오	육

P 08 ~ 09

2일 우리말 수로 읽을 때

몇 개, 몇 마리, 몇 권 등 개수를 나타낼 때는 우리말 수로 읽어요.

❀ 개수를 세어 밑줄친 곳에 알맞은 말을 써넣으세요.

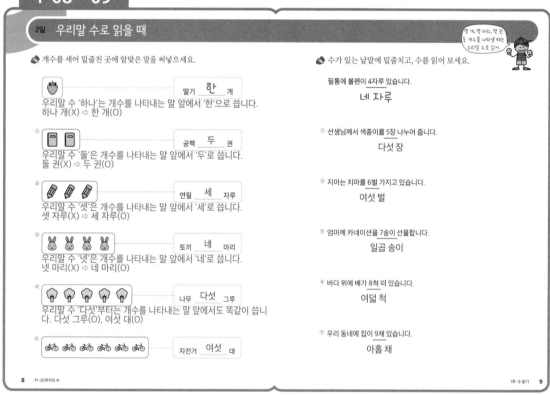

❀ 수가 있는 낱말에 밑줄치고, 수를 읽어 보세요.

필통에 볼펜이 4자루 있습니다.
네 자루

① 선생님께서 색종이를 5장 나누어 줍니다.
다섯 장

② 지아는 치마를 6벌 가지고 있습니다.
여섯 벌

③ 엄마께 카네이션을 7송이 선물합니다.
일곱 송이

④ 바다 위에 배가 8척 떠 있습니다.
여덟 척

⑤ 우리 동네에 집이 9채 있습니다.
아홉 채

P 10 ~ 11

3일 한자어 수로 읽을 때

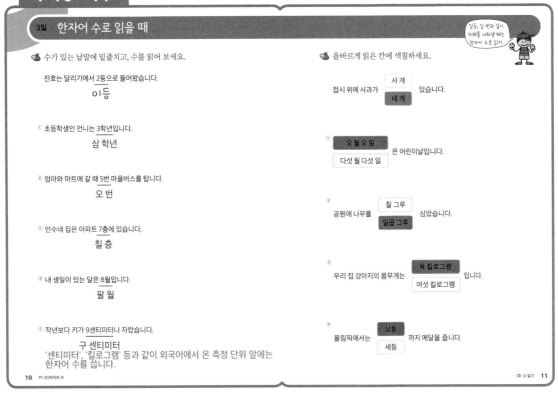

수가 있는 낱말에 밑줄치고, 수를 읽어 보세요.

진호는 달리기에서 2등으로 들어왔습니다.
이등

① 초등학생인 언니는 3학년입니다.
삼 학년

② 엄마와 마트에 갈 때 5번 마을버스를 탑니다.
오 번

③ 인수네 집은 아파트 7층에 있습니다.
칠 층

④ 내 생일이 있는 달은 8월입니다.
팔 월

⑤ 작년보다 키가 9센티미터나 자랐습니다.
구 센티미터
'센티미터', '킬로그램' 등과 같이 외국어에서 온 측정 단위 앞에는 한자어 수를 씁니다.

올바르게 읽은 칸에 색칠하세요.

접시 위에 사과가 사 개 / **네 개** 있습니다.

① **오 월 오 일** / 다섯 월 다섯 일 은 어린이날입니다.

② 공원에 나무를 칠 그루 / **일곱 그루** 심었습니다.

③ 우리 집 강아지의 몸무게는 **육 킬로그램** / 여섯 킬로그램 입니다.

④ 올림픽에서는 **삼 등** / 세 등 까지 메달을 줍니다.

10 P1-20까지의 수

1주 수 읽기 11

P 12 ~ 13

4일 두 방법을 구분하여 읽을 때

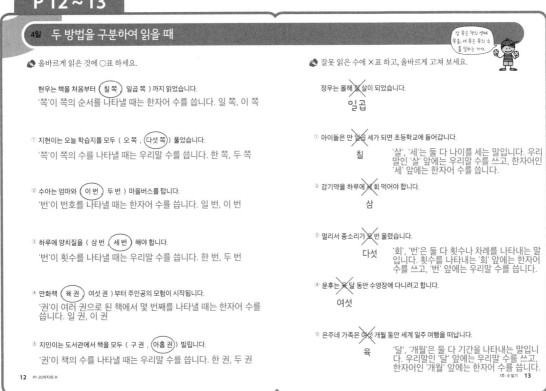

올바르게 읽은 것에 ○표 하세요.

현우는 책을 처음부터 (**칠 쪽**) 일곱 쪽) 까지 읽었습니다.
'쪽'이 쪽의 순서를 나타낼 때는 한자어 수를 씁니다. 일 쪽, 이 쪽

① 지현이는 오늘 학습지를 모두 (오 쪽 , **다섯 쪽**) 풀었습니다.
'쪽'이 쪽의 수를 나타낼 때는 우리말 수를 씁니다. 한 쪽, 두 쪽

② 수아는 엄마와 (**이 번**) 두 번) 마을버스를 탑니다.
'번'이 번호를 나타낼 때는 한자어 수를 씁니다. 일 번, 이 번

③ 하루에 양치질을 (삼 번 , **세 번**) 해야 합니다.
'번'이 횟수를 나타낼 때는 우리말 수를 씁니다. 한 번, 두 번

④ 만화책 (**육 권**) 여섯 권) 부터 주인공의 모험이 시작됩니다.
'권'이 여러 권으로 된 책에서 몇 번째를 나타낼 때는 한자어 수를 씁니다. 일 권, 이 권

⑤ 지민이는 도서관에서 책을 모두 (구 권 , **아홉 권**) 빌립니다.
'권'이 책의 수를 나타낼 때는 우리말 수를 씁니다. 한 권, 두 권

잘못 읽은 수에 ✕표 하고, 올바르게 고쳐 보세요.

정우는 올해 칠 살이 되었습니다.
일곱

① 아이들은 만 일곱 세가 되면 초등학교에 들어갑니다.
칠
'살', '세'는 둘 다 나이를 세는 말입니다. 우리말인 '살' 앞에는 우리말 수를 쓰고, 한자어인 '세' 앞에는 한자어 수를 씁니다.

② 감기약을 하루에 세 회 먹어야 합니다.
삼

③ 멀리서 종소리가 오 번 울렸습니다.
다섯
'회', '번'은 둘 다 횟수나 차례를 나타내는 말입니다. 횟수를 나타내는 '회' 앞에는 한자어 수를 쓰고, '번' 앞에는 우리말 수를 씁니다.

④ 윤후는 육 달 동안 수영장에 다니려고 합니다.
여섯

⑤ 은주네 가족은 여섯 개월 동안 세계 일주 여행을 떠납니다.
육
'달', '개월'은 둘 다 기간을 나타내는 말입니다. 우리말인 '달' 앞에는 우리말 수를 쓰고, 한자어인 '개월' 앞에는 한자어 수를 씁니다.

12 P1-20까지의 수

1주 수 읽기 13

P 14 ~ 15

5일 올바르게 수 읽기

여섯 살과 육 세는 같은 뜻인데 단위에 따라 다르게 읽은 거야.

올바르게 수를 읽은 것은 ○표, 틀리게 읽은 것은 ×표 하세요.

달걀을 하루에 이 개씩 먹었습니다. ── ×

이 개 ➡ 두 개

① 생일을 맞은 은혁이는 만으로 칠 세가 됩니다. ── ○

'세'는 나이를 나타내는 한자어이므로 한자어 수를 씁니다.

② 우리 나라 선수가 올림픽에서 네 등을 했습니다. ── ×

'등'은 순서를 나타내는 한자어이므로 한자어 수를 씁니다.
네 등(X) ⇨ 사 등(O)

③ 큰 오빠는 초등학교 다섯 학년입니다. ── ×

'학년'은 학년의 차례를 나타내는 한자어이므로 한자어 수를
씁니다. 다섯 학년(X) ⇨ 오 학년(O)

④ 엄마 고양이가 새끼 여섯 마리를 낳았습니다. ── ○

⑤ 지아는 어려운 사 번 문제를 쉽게 풉니다. ── ○

'번'이 문제의 차례를 나타낼 때는 한자어 수를 씁니다.

⑥ 일 달만 더 있으면 유치원 방학입니다. ── ×

'달'은 달의 수를 세는 우리말이므로 우리말 수를 씁니다.
일 달(X) ⇨ 한 달(O)

⑦ 동화책을 삼 쪽부터 칠 쪽까지 읽었습니다. ── ○

'쪽'이 쪽의 순서를 나타낼 때는 한자어 수를 씁니다.

⑧ 작년보다 몸무게가 세 킬로그램 늘었습니다. ── ×

'킬로그램'은 외국에서 온 측정 단위이므로 한자어 수를 씁니다.
세 킬로그램(X) ⇨ 삼 킬로그램(O)

⑨ 식목일에 나무를 아홉 그루 심었습니다. ── ○

P 16 ~ 17

확인학습

수가 있는 낱말에 밑줄 치고, 수를 읽어 보세요.

① 연지는 연필 2자루를 깎았습니다.

두 자루

② 마라톤에서 우리 나라 선수가 3등으로 들어왔습니다.

삼등

③ 식목일에 나무 6그루를 심었습니다.

여섯 그루

올바르게 읽은 칸에 색칠하세요.

④ 운동장을 [삼 바퀴] [세 바퀴] 뛰었습니다.

⑤ 나는 친구보다 [칠 센티미터] [일곱 센티미터] 더 큽니다.

올바르게 읽은 것에 ○표 하세요.

⑥ 은지가 좋아하는 동화책 주인공은 (구 쪽) 아홉 쪽) 부터 나옵니다.

'쪽'이 쪽의 순서를 나타낼 때는 한자어 수를 씁니다.

⑦ 연서는 줄넘기를 (오 번 , (다섯 번)) 넘었습니다.

'번'이 횟수를 나타낼 때는 우리말 수를 씁니다.

⑧ 소은이가 좋아하는 만화책은 (팔 권) 여덟 권) 이 가장 재밌습니다.

'권'이 책 여러 권 중 순서를 나타낼 때는 한자어 수를 씁니다.

잘못 읽은 수에 ×표 하고, 올바르게 고쳐 보세요.

⑨ 우리 동네 수영장은 만 다섯 세부터 들어갈 수 있습니다.

오 '세'는 나이를 나타내는 한자어이므로
한자어 수를 씁니다.

⑩ 삼일절에 사람들이 만세를 삼 번 외쳤습니다.

세 '번'이 횟수를 나타낼 때는 우리말
수를 씁니다.

⑪ 새끼 강아지가 태어난 지 일 달이 지났습니다.

한 '달'은 달의 수를 세는 우리말이므로
우리말 수를 씁니다.

P 18

확인학습

◆ 올바르게 수를 읽은 것은 ○표, 틀리게 읽은 것은 ×표 하세요.

⑫ 삼등을 한 선수에게는 동메달을 줍니다. ─── ○

⑬ 화단에 장미가 칠 송이 피었습니다. ─── ×

'송이'는 꽃의 수를 세는 우리말이므로 우리말 수를 씁니다.
칠 송이(X) ⇨ 일곱 송이(O)

⑭ 경주는 하루에 세수를 사 번 합니다. ─── ×

'번'이 횟수를 나타낼 때는 우리말 수를 씁니다.
사 번(X) ⇨ 네 번(O)

⑮ 주원이는 연산 학습지를 모두 팔 쪽 풀었습니다. ─── ×

'쪽'이 쪽의 수를 세는 나타낼 때는 우리말 수를 씁니다.
팔 쪽(X) ⇨ 여덟 쪽(O)

⑯ 내년에는 초등학교 일 학년이 됩니다. ─── ○

18 P1-20까지의 수

P 20 ~ 21

1일 몇째

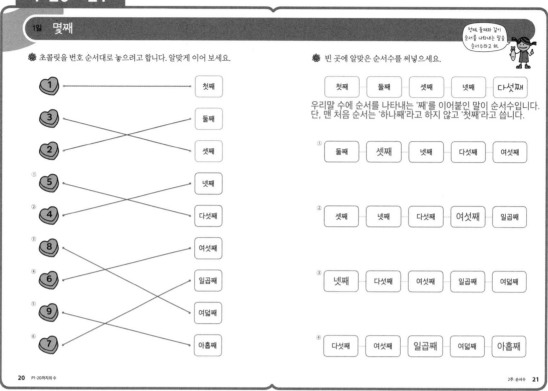

P 22 ~ 23

2일 방향과 순서

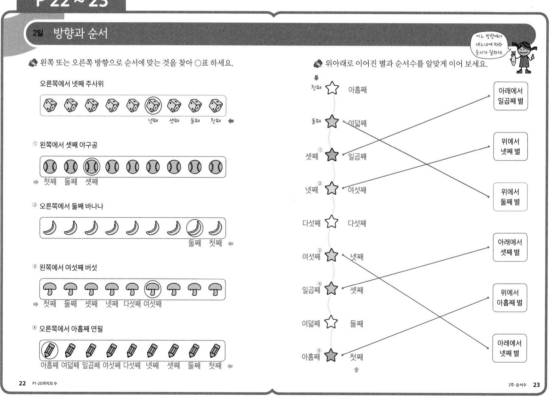

P 24 ~ 25

3일 몇째는 무엇입니까

🖐 그림을 보고 물음에 답하세요.

아홉째 여덟째 일곱째 여섯째 다섯째 넷째 셋째 둘째 첫째 ←

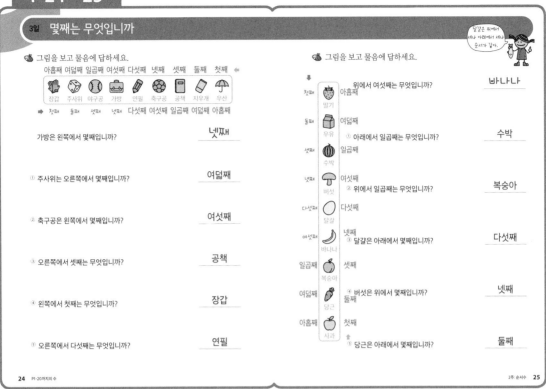

→ 첫째 둘째 셋째 넷째 다섯째 여섯째 일곱째 여덟째 아홉째

가방은 왼쪽에서 몇째입니까?　　　　넷째

① 주사위는 오른쪽에서 몇째입니까?　　여덟째

② 축구공은 왼쪽에서 몇째입니까?　　　여섯째

③ 오른쪽에서 셋째는 무엇입니까?　　　공책

④ 왼쪽에서 첫째는 무엇입니까?　　　　장갑

⑤ 오른쪽에서 다섯째는 무엇입니까?　　연필

🖐 그림을 보고 물음에 답하세요.

위에서 여섯째는 무엇입니까?　　바나나

① 아래에서 일곱째는 무엇입니까?　수박

② 위에서 일곱째는 무엇입니까?　　복숭아

③ 달걀은 아래에서 몇째입니까?　　다섯째

④ 버섯은 위에서 몇째입니까?　　　넷째

⑤ 당근은 아래에서 몇째입니까?　　둘째

P 26 ~ 27

4일 몇째 앞뒤로 몇

✏️ 밑줄친 곳에 알맞은 말이나 수를 써넣으세요.

노란색 닭은 앞에서 __셋째__ , 뒤에서 __넷째__ 입니다.
노란색 닭 앞에 닭이 __2__ 마리, 뒤에 닭이 __3__ 마리입니다.

① 노란색 닭은 앞에서 __둘째__ , 뒤에서 __셋째__ 입니다.
노란색 닭 앞에 닭이 __1__ 마리, 뒤에 닭이 __2__ 마리입니다.

② 노란색 닭은 앞에서 __여섯째__ , 뒤에서 __둘째__ 입니다.
노란색 닭 앞에 닭이 __5__ 마리, 뒤에 닭이 __1__ 마리입니다.

🚗 단서를 보고 범인이 탄 차를 찾아 색칠해 보세요.

범인이 탄 차 앞에는 차가 3대 있습니다.

① 범인이 탄 차 앞에는 차가 1대 있습니다.

② 범인이 탄 차 뒤에는 차가 없습니다.

③ 범인이 탄 차 뒤에는 차가 4대 있습니다.

순서수

P 28 ~ 29

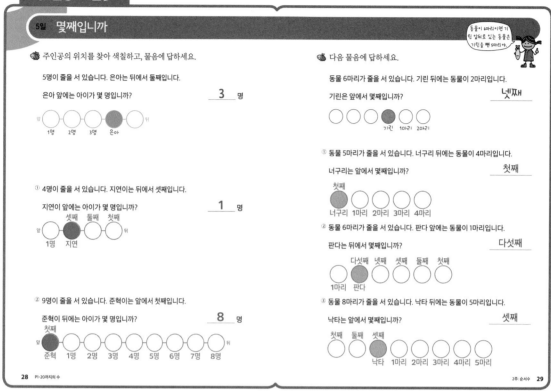

5일 몇째입니까

주인공의 위치를 찾아 색칠하고, 물음에 답하세요.

5명이 줄을 서 있습니다. 은아는 뒤에서 둘째입니다.

은아 앞에는 아이가 몇 명입니까?   __3__ 명

앞 ○ ○ ○ ● ○ 뒤
1명 2명 3명 은아

① 4명이 줄을 서 있습니다. 지연이는 뒤에서 셋째입니다.

지연이 앞에는 아이가 몇 명입니까?   __1__ 명

앞 셋째 둘째 첫째 뒤
1명 지연

② 9명이 줄을 서 있습니다. 준혁이는 앞에서 첫째입니다.

준혁이 뒤에는 아이가 몇 명입니까?   __8__ 명

첫째
앞 ● ○ ○ ○ ○ ○ ○ ○ ○ 뒤
준혁 1명 2명 3명 4명 5명 6명 7명 8명

다음 물음에 답하세요.

동물이 6마리이면 기린 앞뒤로 있는 동물은 기린을 뺀 5마리야.

동물 6마리가 줄을 서 있습니다. 기린 뒤에는 동물이 2마리입니다.

기린은 앞에서 몇째입니까?   넷째

○ ○ ○ ● ○ ○
기린 1마리 2마리

① 동물 5마리가 줄을 서 있습니다. 너구리 뒤에는 동물이 4마리입니다.

너구리는 앞에서 몇째입니까?   첫째

첫째
● ○ ○ ○ ○
너구리 1마리 2마리 3마리 4마리

② 동물 6마리가 줄을 서 있습니다. 판다 앞에는 동물이 1마리입니다.

판다는 뒤에서 몇째입니까?   다섯째

다섯째 넷째 셋째 둘째 첫째
○ ● ○ ○ ○ ○
1마리 판다

③ 동물 8마리가 줄을 서 있습니다. 낙타 뒤에는 동물이 5마리입니다.

낙타는 앞에서 몇째입니까?   셋째

첫째 둘째 셋째
○ ○ ● ○ ○ ○ ○ ○
낙타 1마리 2마리 3마리 4마리 5마리

P 30 ~ 31

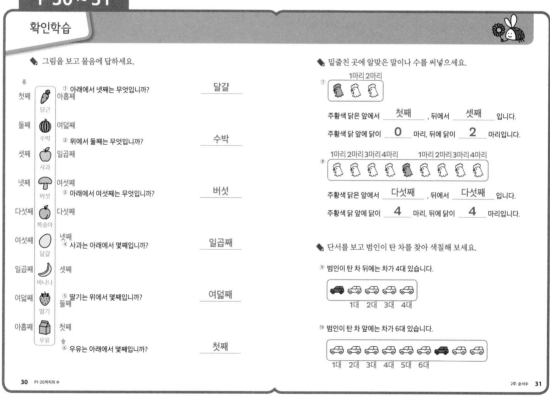

확인학습

그림을 보고 물음에 답하세요.

↕
첫째 - 당근
둘째 - 수박
셋째 - 사과
넷째 - 버섯
다섯째 - 복숭아
여섯째 - 달걀
일곱째 - 바나나
여덟째 - 딸기
아홉째 - 우유

① 아래에서 넷째는 무엇입니까?   달걀

② 위에서 둘째는 무엇입니까?   수박

③ 아래에서 여섯째는 무엇입니까?   버섯

④ 사과는 아래에서 몇째입니까?   일곱째

⑤ 딸기는 위에서 몇째입니까?   여덟째

⑥ 우유는 아래에서 몇째입니까?   첫째

밑줄친 곳에 알맞은 말이나 수를 써넣으세요.

⑦
1마리 2마리
[🐓 🐤 🐤]

주황색 닭은 앞에서 __첫째__ , 뒤에서 __셋째__ 입니다.

주황색 닭 앞에 닭이 __0__ 마리, 뒤에 닭이 __2__ 마리입니다.

⑧
1마리 2마리 3마리 4마리   1마리 2마리 3마리 4마리
[🐤 🐤 🐤 🐤 🐓 🐤 🐤 🐤 🐤]

주황색 닭은 앞에서 __다섯째__ , 뒤에서 __다섯째__ 입니다.

주황색 닭 앞에 닭이 __4__ 마리, 뒤에 닭이 __4__ 마리입니다.

단서를 보고 범인이 탄 차를 찾아 색칠해 보세요.

⑨ 범인이 탄 차 뒤에는 차가 4대 있습니다.

[🚙 🚗 🚗 🚗 🚗]
1대 2대 3대 4대

⑩ 범인이 탄 차 앞에는 차가 6대 있습니다.

[🚗 🚗 🚗 🚗 🚗 🚗 🚙 🚗 🚗]
1대 2대 3대 4대 5대 6대

P 32

확인학습

✎ 다음 물음에 답하세요.

③① 7명이 줄을 서 있습니다. 지우는 앞에서 셋째입니다.

지우 뒤에는 아이가 몇 명입니까?   **4** 명

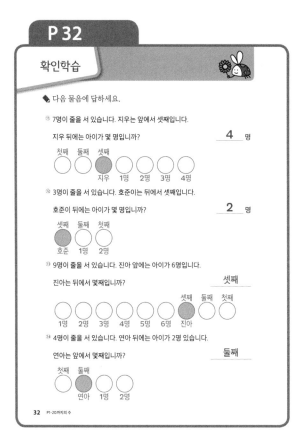

첫째　둘째　셋째
○　○　●　○　○　○　○
　　　지우　1명　2명　3명　4명

③② 3명이 줄을 서 있습니다. 호준이는 뒤에서 셋째입니다.

호준이 뒤에는 아이가 몇 명입니까?   **2** 명

셋째　둘째　첫째
●　○　○
호준　1명　2명

③③ 9명이 줄을 서 있습니다. 진아 앞에는 아이가 6명입니다.

진아는 뒤에서 몇째입니까?   셋째

　　　　　　　　　　　　셋째　둘째　첫째
○　○　○　○　○　○　●　○　○
1명　2명　3명　4명　5명　6명　진아

③④ 4명이 줄을 서 있습니다. 연아 뒤에는 아이가 2명 있습니다.

연아는 앞에서 몇째입니까?   둘째

첫째　둘째
○　●　○　○
　　연아　1명　2명

10 만들기

3주

P 34 ~ 35

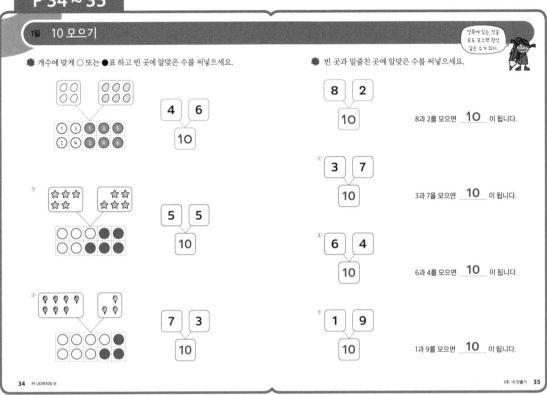

1일 10 모으기

개수에 맞게 ○ 또는 ●표 하고 빈 곳에 알맞은 수를 써넣으세요.

빈 곳과 밑줄친 곳에 알맞은 수를 써넣으세요.

8과 2를 모으면 __10__ 이 됩니다.

3과 7을 모으면 __10__ 이 됩니다.

6과 4를 모으면 __10__ 이 됩니다.

1과 9를 모으면 __10__ 이 됩니다.

34 P1-20까지의 수

35 3주 : 10 만들기

P 36 ~ 37

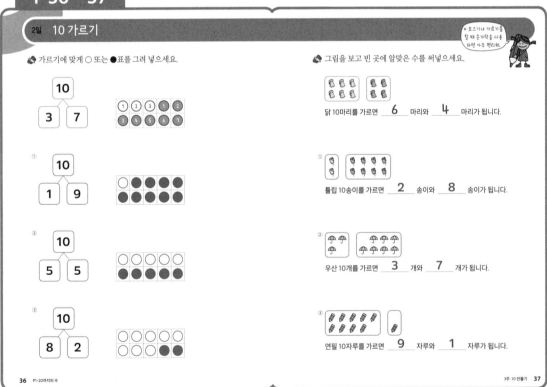

2일 10 가르기

가르기에 맞게 ○ 또는 ●표를 그려 넣으세요.

그림을 보고 빈 곳에 알맞은 수를 써넣으세요.

닭 10마리를 가르면 __6__ 마리와 __4__ 마리가 됩니다.

튤립 10송이를 가르면 __2__ 송이와 __8__ 송이가 됩니다.

우산 10개를 가르면 __3__ 개와 __7__ 개가 됩니다.

연필 10자루를 가르면 __9__ 자루와 __1__ 자루가 됩니다.

36 P1-20까지의 수

37 3주 : 10 만들기

10 P1-20까지의 수

P 38 ~ 39

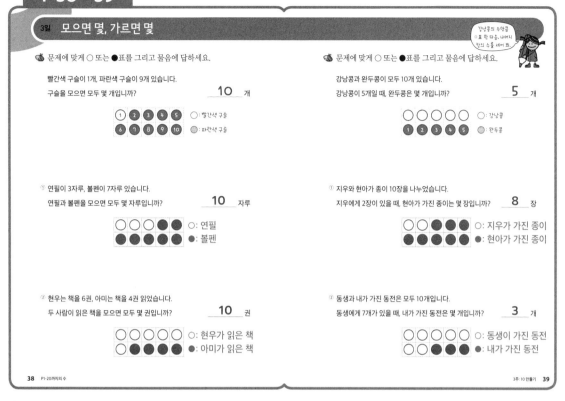

3일 모으면 몇, 가르면 몇

> 강낭콩의 수만큼 ○표 한 다음, 나머지 칸의 수를 세어 봐.

🐝 문제에 맞게 ○ 또는 ●표를 그리고 물음에 답하세요.

빨간색 구슬이 1개, 파란색 구슬이 9개 있습니다.
구슬을 모으면 모두 몇 개입니까? **10** 개

① ② ③ ④ ⑤ ○: 빨간색 구슬
⑥ ⑦ ⑧ ⑨ ⑩ ●: 파란색 구슬

① 연필이 3자루, 볼펜이 7자루 있습니다.
연필과 볼펜을 모으면 모두 몇 자루입니까? **10** 자루

○○○●● ○: 연필
●●●●● ●: 볼펜

② 현우는 책을 6권, 아미는 책을 4권 읽었습니다.
두 사람이 읽은 책을 모으면 모두 몇 권입니까? **10** 권

○○○○○ ○: 현우가 읽은 책
○●●●● ●: 아미가 읽은 책

🐝 문제에 맞게 ○ 또는 ●표를 그리고 물음에 답하세요.

강낭콩과 완두콩이 모두 10개 있습니다.
강낭콩이 5개일 때, 완두콩은 몇 개입니까? **5** 개

○○○○○ ○: 강낭콩
① ② ③ ④ ⑤ ●: 완두콩

① 지우와 현아가 종이 10장을 나누었습니다.
지우에게 2장이 있을 때, 현아가 가진 종이는 몇 장입니까? **8** 장

○○●●● ○: 지우가 가진 종이
●●●●● ●: 현아가 가진 종이

② 동생과 내가 가진 동전은 모두 10개입니다.
동생에게 7개가 있을 때, 내가 가진 동전은 몇 개입니까? **3** 개

○○○○○ ○: 동생이 가진 동전
○○●●● ●: 내가 가진 동전

38 P1·20까지의 수

3주·10 만들기 **39**

P 40 ~ 41

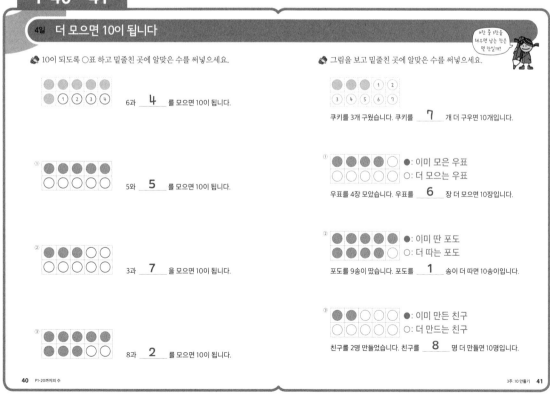

4일 더 모으면 10이 됩니다

> 두 칸 중 1칸을 채우면 낳는 칸은 몇 칸일까?

🐝 10이 되도록 ○표 하고 밑줄친 곳에 알맞은 수를 써넣으세요.

6과 **4** 를 모으면 10이 됩니다.

① 5와 **5** 를 모으면 10이 됩니다.

② 3과 **7** 을 모으면 10이 됩니다.

③ 8과 **2** 를 모으면 10이 됩니다.

🐝 그림을 보고 밑줄친 곳에 알맞은 수를 써넣으세요.

쿠키를 3개 구웠습니다. 쿠키를 **7** 개 더 구우면 10개입니다.

① ●: 이미 모은 우표
○: 더 모으는 우표

우표를 4장 모았습니다. 우표를 **6** 장 더 모으면 10장입니다.

② ●: 이미 딴 포도
○: 더 따는 포도

포도를 9송이 땄습니다. 포도를 **1** 송이 더 따면 10송이입니다.

③ ●: 이미 만든 친구
○: 더 만드는 친구

친구를 2명 만들었습니다. 친구를 **8** 명 더 만들면 10명입니다.

40 P1·20까지의 수

3주·10 만들기 **41**

10 만들기

P 42 ~ 43

5일 몇 더 있어야 합니까

(1과 9), (2와 8),
(3과 7), (4와 6), (5와 5)
이 두 수들은 뭘까?

❀ 문제를 읽고 물음에 답하세요.

동전을 7개 모았습니다.
동전을 10개 모으려면 몇 개 더 모아야 합니까? **3** 개

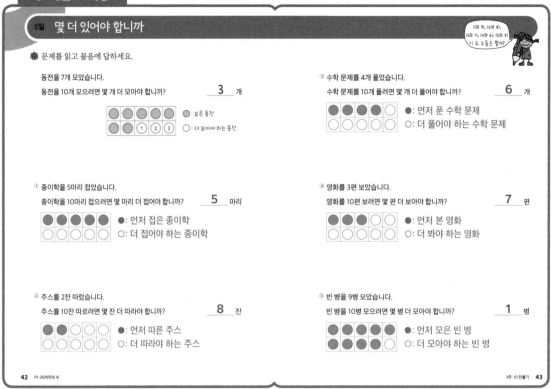

● : 모은 동전
○ : 더 모아야 하는 동전

① 종이학을 5마리 접었습니다.
종이학을 10마리 접으려면 몇 마리 더 접어야 합니까? **5** 마리

● : 먼저 접은 종이학
○ : 더 접어야 하는 종이학

② 주스를 2잔 따랐습니다.
주스를 10잔 따르려면 몇 잔 더 따라야 합니까? **8** 잔

● : 먼저 따른 주스
○ : 더 따라야 하는 주스

③ 수학 문제를 4개 풀었습니다.
수학 문제를 10개 풀려면 몇 개 더 풀어야 합니까? **6** 개

● : 먼저 푼 수학 문제
○ : 더 풀어야 하는 수학 문제

④ 영화를 3편 보았습니다.
영화를 10편 보려면 몇 편 더 보아야 합니까? **7** 편

● : 먼저 본 영화
○ : 더 봐야 하는 영화

⑤ 빈 병을 9병 모았습니다.
빈 병을 10병 모으려면 몇 병 더 모아야 합니까? **1** 병

● : 먼저 모은 빈 병
○ : 더 모아야 하는 빈 병

P 44 ~ 45

확인학습

✏ 문제에 맞게 ○ 또는 ●표를 그리고 물음에 답하세요.

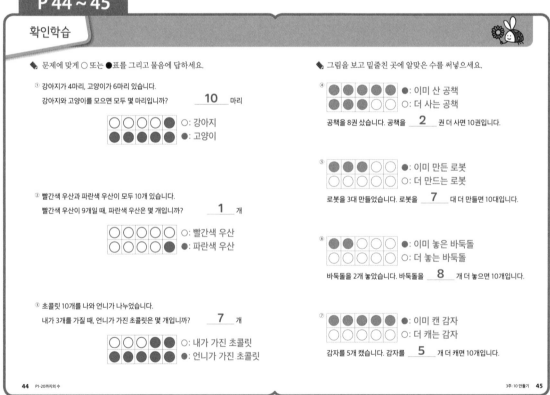

① 강아지가 4마리, 고양이가 6마리 있습니다.
강아지와 고양이를 모으면 모두 몇 마리입니까? **10** 마리

○ : 강아지
● : 고양이

② 빨간색 우산과 파란색 우산이 모두 10개 있습니다.
빨간색 우산이 9개일 때, 파란색 우산은 몇 개입니까? **1** 개

○ : 빨간색 우산
● : 파란색 우산

③ 초콜릿 10개를 나와 언니가 나누었습니다.
내가 3개를 가질 때, 언니가 가진 초콜릿은 몇 개입니까? **7** 개

○ : 내가 가진 초콜릿
● : 언니가 가진 초콜릿

✏ 그림을 보고 밑줄친 곳에 알맞은 수를 써넣으세요.

④ ● : 이미 산 공책
○ : 더 사는 공책

공책을 8권 샀습니다. 공책을 **2** 권 더 사면 10권입니다.

⑤ ● : 이미 만든 로봇
○ : 더 만드는 로봇

로봇을 3대 만들었습니다. 로봇을 **7** 대 더 만들면 10대입니다.

⑥ ● : 이미 놓은 바둑돌
○ : 더 놓는 바둑돌

바둑돌을 2개 놓았습니다. 바둑돌을 **8** 개 더 놓으면 10개입니다.

⑦ ● : 이미 캔 감자
○ : 더 캐는 감자

감자를 5개 캤습니다. 감자를 **5** 개 더 캐면 10개입니다.

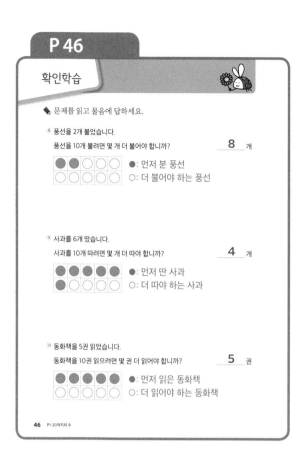

P 46

확인학습

🖎 문제를 읽고 물음에 답하세요.

⁸ 풍선을 2개 불었습니다.
풍선을 10개 불려면 몇 개 더 불어야 합니까?   __8__ 개

●: 먼저 분 풍선
○: 더 불어야 하는 풍선

⁹ 사과를 6개 땄습니다.
사과를 10개 따려면 몇 개 더 따야 합니까?   __4__ 개

●: 먼저 딴 사과
○: 더 따야 하는 사과

¹⁰ 동화책을 5권 읽었습니다.
동화책을 10권 읽으려면 몇 권 더 읽어야 합니까?   __5__ 권

●: 먼저 읽은 동화책
○: 더 읽어야 하는 동화책

P 48 ~ 49

1일 10에서 20까지

수를 나란히 써넣은 그림을 수 직선이라고 해.

빈 곳에 알맞은 수를 써넣으세요.

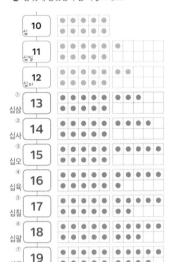

10 십	
11 십일	
12 십이	
① 13 십삼	
② 14 십사	
③ 15 십오	
④ 16 십육	
⑤ 17 십칠	
⑥ 18 십팔	
⑦ 19 십구	
⑧ 20 이십	

수의 순서에 맞게 빈 곳에 알맞은 수를 써넣으세요.

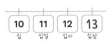

| 10 십 | 11 십일 | 12 십이 | 13 십삼 |

① 12 13 14 15

② 15 16 17 18

③ 14 15 16 17

④ 17 18 19 20

⑤ 13 14 15 16

P 50 ~ 51

2일 앞 수와 뒤 수

수의 순서를 알면 앞뒤의 수는 금방 찾을 수 있어.

주어진 수의 바로 앞 수와 뒤 수를 각각 써넣으세요.

앞 ─ 10 11 12 13 14 15 16 17 18 19 20 ─ 뒤

| 10 | 11 | 12 |

11의 앞 수는 **10** 입니다.
11의 뒤 수는 **12** 입니다.

①
| 11 | 12 | 13 |

12의 앞 수는 **11** 입니다.
12의 뒤 수는 **13** 입니다.

②
| 15 | 16 | 17 |

16의 앞 수는 **15** 입니다.
16의 뒤 수는 **17** 입니다.

③
| 18 | 19 | 20 |

19의 앞 수는 **18** 입니다.
19의 뒤 수는 **20** 입니다.

문제를 읽고 물음에 답하세요.

아이들이 번호 순서대로 서 있는데 진주는 17번입니다.
진주 바로 앞에 있는 아이는 몇 번입니까?   **16** 번

앞 진주 뒤
16 17 18

① 아이들이 번호 순서대로 서 있는데 민후는 11번입니다.
민후 바로 뒤에 있는 아이는 몇 번입니까?   **12** 번

앞 민후 뒤
10 11 12

② 깃발이 번호 순서대로 서 있는데 노란색 깃발은 13번입니다.
노란색 깃발 바로 뒤에 있는 깃발은 몇 번입니까?   **14** 번

앞 깃발 뒤
12 13 14

③ 기차가 번호 순서대로 이어져 있는데 식당차는 10호차입니다.
식당차 바로 앞 칸은 몇 호차입니까?   **9** 호차

앞 식당차 뒤
9 10 11

P 52~53

3일 사이에 몇입니까

작은 수부터 큰 수까지 수직선을 그리고 사이의 수를 찾아봐.

🐝 사이에 있는 수를 모두 찾아 ○표 하고 밑줄친 곳에 써넣으세요.

10 ⑪ ⑫ 13 14

10과 13 사이의 수는 __11__ , __12__ 입니다.

① 16 ⑰ 18 19 20

16과 18 사이의 수는 __17__ 입니다.

② 11 12 ⑬ ⑭ 15

12와 15 사이의 수는 __13__ , __14__ 입니다.

③ 14 ⑮ ⑯ ⑰ 18

14와 18 사이의 수는 __15__ , __16__ , __17__ 입니다.

🐝 문제를 읽고 물음에 답하세요.

아이들이 번호 순서대로 서 있습니다.
16번과 19번 사이에는 몇 명이 서 있습니까? __2__ 명

1명 2명
16 ⑰ ⑱ 19

① 달리기 경주를 했습니다.
9등과 13등 사이에는 몇 명이 들어왔습니까? __3__ 명

1명 2명 3명
9 10 11 12 13

② 기차가 번호 순서대로 이어져 있습니다.
11호차와 13호차 사이에는 차가 몇 칸 있습니까? __1__ 칸

1칸
11 12 13

③ 교실이 반 번호 순서대로 나란히 있습니다.
10반과 15반 사이에는 반이 몇 개 있습니까? __4__ 개

1개 2개 3개 4개
10 11 12 13 14 15

52 P1-20까지의 수

4주 수의 순서 53

P 54~55

4일 가장 큰 수, 작은 수

여러 수 중 다른 모든 수보다 더 큰 수를 가장 큰 수라고 해.

🍎 가장 큰 수에 ○표, 가장 작은 수에 △표 하세요.

△14 15 ○18

14 15 18

① ○19 17 △15
15 17 19

② 19 ○20 △18
18 19 20

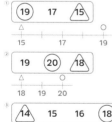
③ △14 15 16 ○18
14 15 16 18

④ ○16 △10 13 15
10 13 15 16

⑤ △15 16 ○20 17
15 16 17 20

🍎 문제를 읽고 물음에 답하세요.

언니는 13살, 오빠는 11살, 나는 9살입니다.
셋 중 가장 나이가 많은 사람은 누구입니까? __언니__

나 오빠 언니
9 11 13

① 동전을 윤지는 15개, 기안이는 12개, 종민이는 14개 모았습니다.
동전을 가장 적게 모은 사람은 누구입니까? __기안__

기안 종민 윤지
12 14 15

② 포도를 아침에 10알, 점심에 15알, 저녁에 13알 먹었습니다.
포도를 가장 많이 먹은 것은 언제입니까? __점심__

아침 저녁 점심
10 13 15

③ 책을 첫째 날 14쪽, 둘째 날 9쪽, 셋째 날 18쪽, 넷째 날 19쪽 읽었습니다.
책을 가장 적게 읽은 것은 몇째 날입니까? __둘째 날__

둘째 첫째 셋째 넷째
9 14 18 19

54 P1-;

4주 수의 순서 55

P 56 ~ 57

5일   둘째로 큰 수, 작은 수

가장 큰 수 다음으로 큰 수를 둘째로 큰 수라고 해.

❀ 가장 작은 수부터 크기 순서대로 수를 써넣으세요.

| 12 | 15 | 13 |

→ 12 (가장 작은 수) 13 (둘째로 작은 수) 15 (가장 큰 수)

① | 17 | 16 | 14 | → 14 - 16 - 17

② | 10 | 12 | 11 | → 10 - 11 - 12

③ | 19 | 20 | 12 | 15 | → 12 - 15 - 19 - 20

④ | 10 | 16 | 9 | 17 | → 9 - 10 - 16 - 17

⑤ | 14 | 11 | 18 | 13 | → 11 - 13 - 14 - 18

❀ 문제를 읽고 물음에 답하세요.

봉사 활동을 누나는 10일, 나는 13일, 동생은 12일 갔습니다.
봉사 활동을 둘째로 적게 간 사람은 누구입니까? **동생**

| 누나 | 동생 | 나 |
| 10일 | 12일 | 13일 |

① 색종이가 빨간색은 20장, 노란색은 15장, 보라색은 16장 있습니다.
둘째로 적은 색종이는 무슨 색입니까? **보라색**

노란색 보라색   빨간색
15   16   20

② 사과를 지우는 17개, 현서는 14개, 은혁이는 19개 땄습니다.
사과를 둘째로 많이 딴 사람은 누구입니까? **지우**

현서   지우   은혁
14   17   19

③ 켄지는 14살, 노라는 15살, 미루는 13살, 아이린은 11살입니다.
나이가 둘째로 많은 사람은 누구입니까? **켄지**

아이린   미루 켄지 노라
11   13   14   15

P 58 ~ 59

확인학습

✏ 주어진 수의 바로 앞 수와 뒤 수를 각각 써넣으세요.

① | 12 | 13 | 14 |
13의 앞 수는 **12** 입니다.
13의 뒤 수는 **14** 입니다.

② | 16 | 17 | 18 |
17의 앞 수는 **16** 입니다.
17의 뒤 수는 **18** 입니다.

✏ 사이에 있는 수를 모두 찾아 ○표 하고 밑줄친 곳에 써넣으세요.

⑤ 9 ⑩ ⑪ ⑫ 13
9와 13 사이의 수는 **10** , **11** , **12** 입니다.

⑥ 15 ⑯ ⑰ 18 19
15와 18 사이의 수는 **16** , **17** 입니다.

✏ 문제를 읽고 물음에 답하세요.

③ 아이들이 번호 순서대로 서 있는데 케이는 14번입니다.
케이의 바로 앞에 서 있는 아이는 몇 번입니까? **13** 번

앞   케이   뒤
13   14   15

④ 희재는 매일 1쪽씩 책을 읽는데 어제는 17쪽을 읽었습니다.
희재는 오늘 몇 쪽을 읽어야 합니까? **18** 쪽

어제   오늘   내일
17   18   19

✏ 문제를 읽고 물음에 답하세요.

⑦ 동화책이 있습니다.
12쪽과 16쪽 사이에는 몇 쪽이 있습니까? **3** 쪽

     1쪽 2쪽 3쪽
12   13   14   15   16

⑧ 8일은 어버이날이고 13일은 석가탄신일입니다.
어버이날과 석가탄신일 사이에 며칠이 있습니까? **4** 일

     1일 2일 3일 4일
8   9   10   11   12   13

P 60

확인학습

✎ 문제를 읽고 물음에 답하세요.

⑨ 버스에 13명, 비행기에 15명, 기차에 18명 탔습니다.
사람이 가장 많이 탄 것은 무엇입니까?   **기차**

```
  버스      비행기            기차
   |         |               |
  13        15              18
```

⑩ 고양이는 11살, 강아지는 9살, 거북이는 14살입니다.
나이가 가장 적은 동물은 무엇입니까?   **강아지**

```
  강아지     고양이           거북
   |         |               |
   9        11              14
```

⑪ 밤을 형은 16개, 나는 12개, 동생은 13개 먹었습니다.
밤을 둘째로 적게 먹은 사람은 누구입니까?   **동생**

```
  나  동생            형
  |   |              |
  12  13            16
```

⑫ 우산이 빨간색 17개, 파란색 10개, 노란색 14개, 초록색 11개 있습니다.
둘째로 많은 우산은 무슨 색입니까?   **노란색**

```
  파란색 초록색        노란색        빨간색
   |    |            |            |
  10   11           14           17
```

진단평가

5주

P 62 ~ 63

1회차 진단평가

월 일	
제한 시간	10분
맞은 개수	/ 9개

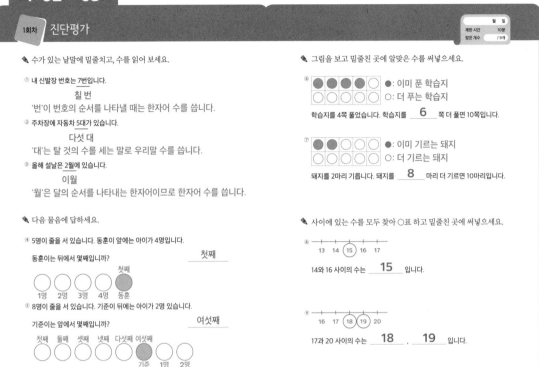

❖ 수가 있는 낱말에 밑줄치고, 수를 읽어 보세요.

① 내 신발장 번호는 7번입니다.
칠 번
'번'이 번호의 순서를 나타낼 때는 한자어 수를 씁니다.

② 주차장에 자동차 5대가 있습니다.
다섯 대
'대'는 탈 것의 수를 세는 말로 우리말 수를 씁니다.

③ 올해 설날은 2월에 있습니다.
이월
'월'은 달의 순서를 나타내는 한자어이므로 한자어 수를 씁니다.

❖ 다음 물음에 답하세요.

④ 5명이 줄을 서 있습니다. 동훈이 앞에는 아이가 4명입니다.
동훈이는 뒤에서 몇째입니까?   **첫째**

⑤ 8명이 줄을 서 있습니다. 기준이 뒤에는 아이가 2명 있습니다.
기준이는 앞에서 몇째입니까?   **여섯째**

❖ 그림을 보고 밑줄친 곳에 알맞은 수를 써넣으세요.

⑥ ●: 이미 푼 학습지 ○: 더 푸는 학습지
학습지를 4쪽 풀었습니다. 학습지를 **6** 쪽 더 풀면 10쪽입니다.

⑦ ●: 이미 기르는 돼지 ○: 더 기르는 돼지
돼지를 2마리 기릅니다. 돼지를 **8** 마리 더 기르면 10마리입니다.

❖ 사이에 있는 수를 모두 찾아 ○표 하고 밑줄친 곳에 써넣으세요.

⑧ 14와 16 사이의 수는 **15** 입니다.

⑨ 17과 20 사이의 수는 **18** , **19** 입니다.

62 P1-20까지의 수

진단평가 63

P 64 ~ 65

2회차 진단평가

월 일	
제한 시간	10분
맞은 개수	/ 10개

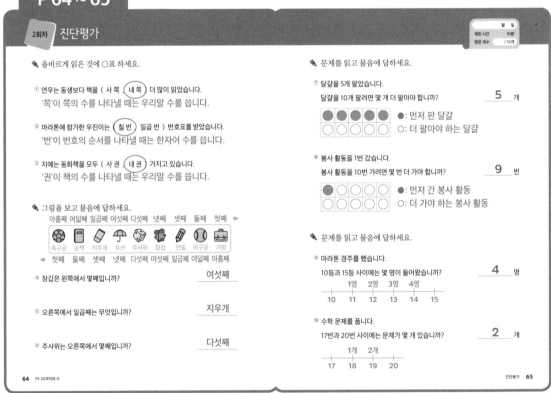

❖ 올바르게 읽은 것에 ○표 하세요.

① 연우는 동생보다 책을 (사 쪽 **네 쪽**) 더 많이 읽었습니다.
'쪽'이 쪽의 수를 나타낼 때는 우리말 수를 씁니다.

② 마라톤에 참가한 우진이는 (**칠 번** 일곱 번) 번호표를 받았습니다.
'번'이 번호의 순서를 나타낼 때는 한자어 수를 씁니다.

③ 지에는 동화책을 모두 (사 권 **네 권**) 가지고 있습니다.
'권'이 책의 수를 나타낼 때는 우리말 수를 씁니다.

❖ 그림을 보고 물음에 답하세요.

아홉째 여덟째 일곱째 여섯째 다섯째 넷째 셋째 둘째 첫째
축구공 공책 지우개 우산 주사위 장갑 연필 야구공 가방
➡ 첫째 둘째 셋째 넷째 다섯째 여섯째 일곱째 여덟째 아홉째

④ 장갑은 왼쪽에서 몇째입니까?   **여섯째**

⑤ 오른쪽에서 일곱째는 무엇입니까?   **지우개**

⑥ 주사위는 오른쪽에서 몇째입니까?   **다섯째**

❖ 문제를 읽고 물음에 답하세요.

⑦ 달걀을 5개 팔았습니다.
달걀을 10개 팔려면 몇 개 더 팔아야 합니까?   **5** 개
●: 먼저 판 달걀 ○: 더 팔아야 하는 달걀

⑧ 봉사 활동을 1번 갔습니다.
봉사 활동을 10번 가려면 몇 번 더 가야 합니까?   **9** 번
●: 먼저 간 봉사 활동 ○: 더 가야 하는 봉사 활동

❖ 문제를 읽고 물음에 답하세요.

⑨ 마라톤 경주를 했습니다.
10등과 15등 사이에는 몇 명이 들어왔습니까?   **4** 명
1명 2명 3명 4명
10 11 12 13 14 15

⑩ 수학 문제를 풉니다.
17번과 20번 사이에는 문제가 몇 개 있습니까?   **2** 개
1개 2개
17 18 19 20

64 P1-20까지의 수

진단평가 65

18 P1-20까지의 수

P 66 ~ 67

3회차 진단평가

월 일
제한 시간 10분
맞은 개수 /8개

✎ 올바르게 수를 읽은 것은 ○표, 틀리게 읽은 것은 ✕표 하세요.

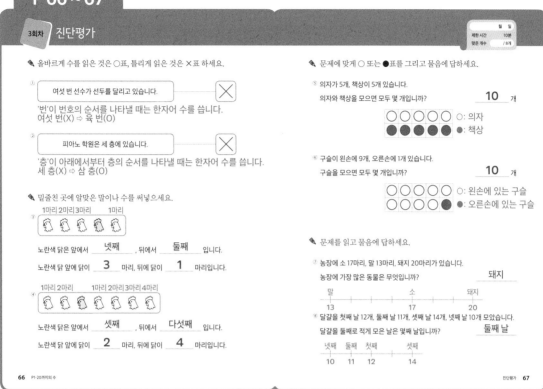

① 여섯 번 선수가 선두를 달리고 있습니다. ✕
'번'이 번호의 순서를 나타낼 때는 한자어 수를 씁니다.
여섯 번(X) ⇨ 육 번(O)

② 피아노 학원은 세 층에 있습니다. ✕
'층'이 아래에서부터 층의 순서를 나타낼 때는 한자어 수를 씁니다.
세 층(X) ⇨ 삼 층(O)

✎ 밑줄친 곳에 알맞은 말이나 수를 써넣으세요.

1마리 2마리 3마리   1마리
③ 노란색 닭은 앞에서 __넷째__ , 뒤에서 __둘째__ 입니다.
노란색 닭 앞에 닭이 __3__ 마리, 뒤에 닭이 __1__ 마리입니다.

1마리 2마리   1마리 2마리 3마리 4마리
④ 노란색 닭은 앞에서 __셋째__ , 뒤에서 __다섯째__ 입니다.
노란색 닭 앞에 닭이 __2__ 마리, 뒤에 닭이 __4__ 마리입니다.

✎ 문제에 맞게 ○ 또는 ●표를 그리고 물음에 답하세요.

⑤ 의자가 5개, 책상이 5개 있습니다.
의자와 책상을 모으면 모두 몇 개입니까? __10__ 개
○○○○○ ○: 의자
●●●●● ●: 책상

⑥ 구슬이 왼손에 9개, 오른손에 1개 있습니다.
구슬을 모으면 모두 몇 개입니까? __10__ 개
○○○○○ ○: 왼손에 있는 구슬
○○○○● ●: 오른손에 있는 구슬

✎ 문제를 읽고 물음에 답하세요.

⑦ 농장에 소 17마리, 말 13마리, 돼지 20마리가 있습니다.
농장에 가장 많은 동물은 무엇입니까? __돼지__
말 ── 소 ── 돼지
13 17 20

⑧ 달걀을 첫째 날 12개, 둘째 날 11개, 셋째 날 14개, 넷째 날 10개 모았습니다.
달걀을 둘째로 적게 모은 날은 몇째 날입니까? __둘째 날__
넷째 둘째 첫째 셋째
10 11 12 14

66 P1-20까지의 수

진단평가 67

P 68 ~ 69

4회차 진단평가

월 일
제한 시간 10분
맞은 개수 /9개

✎ 잘못 읽은 수에 ✕표 하고, 올바르게 고쳐 보세요.

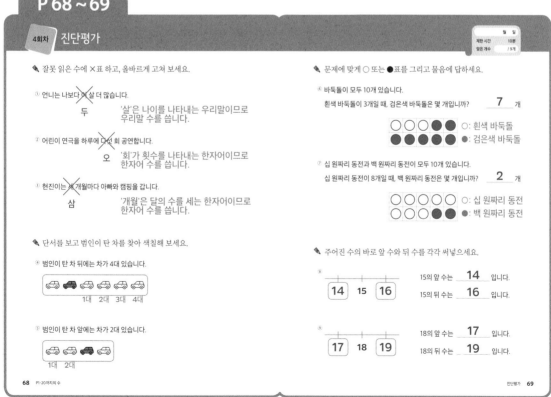

① 언니는 나보다 ~~두~~ 살 더 많습니다.
두
'살'은 나이를 나타내는 우리말이므로 우리말 수를 씁니다.

② 어린이 연극을 하루에 ~~다섯~~ 회 공연합니다.
오
'회'가 횟수를 나타내는 한자어이므로 한자어 수를 씁니다.

③ 현진이는 ~~세~~ 개월마다 아빠와 캠핑을 갑니다.
삼
'개월'은 달의 수를 세는 한자어이므로 한자어 수를 씁니다.

✎ 단서를 보고 범인이 탄 차를 찾아 색칠해 보세요.

④ 범인이 탄 차 뒤에는 차가 4대 있습니다.
1대 2대 3대 4대

⑤ 범인이 탄 차 앞에는 차가 2대 있습니다.
1대 2대

✎ 문제에 맞게 ○ 또는 ●표를 그리고 물음에 답하세요.

⑥ 바둑돌이 모두 10개 있습니다.
흰색 바둑돌이 3개일 때, 검은색 바둑돌은 몇 개입니까? __7__ 개
○○○●● ○: 흰색 바둑돌
●●●●● ●: 검은색 바둑돌

⑦ 십 원짜리 동전과 백 원짜리 동전이 모두 10개 있습니다.
십 원짜리 동전이 8개일 때, 백 원짜리 동전은 몇 개입니까? __2__ 개
○○○○○ ○: 십 원짜리 동전
●●●●● ●: 백 원짜리 동전

✎ 주어진 수의 바로 앞 수와 뒤 수를 각각 써넣으세요.

⑧ 14 15 16
15의 앞 수는 __14__ 입니다.
15의 뒤 수는 __16__ 입니다.

⑨ 17 18 19
18의 앞 수는 __17__ 입니다.
18의 뒤 수는 __19__ 입니다.

68 P1-20까지의 수

진단평가 69

정답 **19**

P 70 ~ 71

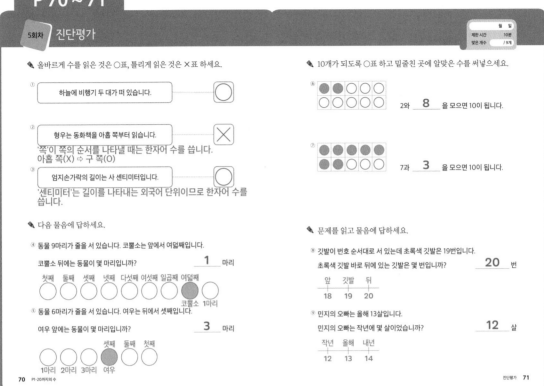

"

The essence of mathematics
is its freedom.

"

"수학의 본질은 그 자유로움에 있다."

Georg Cantor, 게오르크 칸토어